戦後支配の正体
1945-2020

戦後史観の闇を
歴史修正主義が
暴く

Behind
the Textbook History:
1945-2020

宮崎正弘 渡辺惣樹

ビジネス社

まえがき

本書の第一のテーマはマルクス主義歴史観による戦後史解釈を根底から糺すことにある。日本のみならず欧米でも主流だった歴史家たちの、戦後世界史を一方的に裁断したいわゆる「進歩史観」が間違いだったことを証明する、ささやかな試みでもある。

換言すれば米国が押しつけ、東京裁判で強要された米国基軸の歴史の解釈が誤りであるという「歴史修正主義」に立脚する。

ダーウィンの進化論からマルクスの歴史進化論というまやかしが世に憚ったが、長い洗脳から解けてもまだメディアやアカデミズムの多くが進化論的な歴史進歩史観から抜け切れていない。

ガリレオもコペルニクスもキリスト教会の解釈と異なる真実を述べた。

グローバリズムはマルクス主義の焼き直しでしかなく、物質文明は確かに発達したが、それは科学、化学、物理学の発展に過ぎず、哲学、思想はソクラテス、孔子の時代から少しの進歩もないではないか。

芸術は自然信仰から宗教色、人間解放と進んできたが、本質に変わりない。いうなれば、戦後の歴史解釈とは進化論に振り廻されたのである。

第二のテーマとして、章立てとは別に「ヤルタ・ポツダム体制が戦後世界史の骨髄」という原則的なことに関しての考察である。

すでに渡辺惣樹氏は何冊もの近代史を書かれているが、それらに共通する認識とは戦後世界を規定したYP（ヤルタ・ポツダム体制）の破綻が顕著になってきたというリアルな現実世界といかに向き合うのか、という問題意識である。

戦後体制とは政治的には国連、そして経済体制としてはIMF・世銀、つまりドル基軸体制である。英米基軸の、この世界システムが破綻しかけているが、まだその出口は見えていない。中国が派手派手しく挑戦した戦後体制の綻び、破綻への道程も、直近のコロナウイルス災禍、バブル破裂によって停滞を始めた。

第三は大東亜戦争（太平洋戦争）前後の評価を軸に日本のアジア進出と列強のアジア植民地支配との違いを明瞭化する一方で、しかし日本の大東亜共栄圏の理想の一つだったアジア植民地解放はあくまでも結果としてアジアに実現した事実を述べる。

あたかも大英帝国もフランスも衰退期に入っていた情勢にトドメを刺したのが日本の躍進だったが、フランス撤退後の米越戦争、すなわちベトナム戦争において米国がベトナムに実質的に敗北したことで大東亜戦争は終結したという皮肉な結末を見た。

第四に世界のバランスオブパワー、すなわち力の均衡、新秩序の持続力について考察する。

ベトナム戦争以後、アジアでも軍事的バランスが重視され、東西冷戦が長く続いた。この緊張関係でもあった軍事的な均衡が破れ、ソ連が崩壊した。

直後から東欧が一斉に民主陣営になびき、NATO（北大西洋条約機構）の大幅な変質があった。すなわち「西側 vs.ロシア」という冷戦下の構造が「西側＋東欧 vs.ロシア＋中国」という図式に変化したのだ。

ニクソン政権以来、アメリカの外交を担った基本思考はキッシンジャー的秩序の発展と維持、政治の目標が現状維持となり、国境の変更は認めがたいとしてきた従来の「均衡論」が崩れたことである。

過去四十年の改革開放以来、中国の奇跡の台頭があって軍事的脅威となったあとで、キッシンジャーが間違っていたことが知れ渡った。ニクソンは後日、中国の大躍進を目にして「我々はとんでもないフランケンシュタインを作ってしまった」と後悔したという。

中東の大混乱とアジアの大激動がここに絡む。すなわちアジア、中東からアフリカ諸国にかけて、西側が描く「秩序」はなく、混沌（こんとん）が支配し、さらに激しい政治的軍事的な地殻変動がもたらされるだろう。

第五に議論したのは近代までの、キリスト教の暴走的な無謀と衰退、対照的にイスラム・パワーの爆発であり、ウエストファリア条約体制は綺麗事（きれいごと）でしかないことである。

しかしながら近代政治のメルクマールと言われた現状維持思想とは、メッテルニヒの「踊る会議」が平和の本質だとする議論だった。クラウゼヴィッツが述べたように、束の間の平和とは戦争と戦争の間にある休息時間でしかない。

それにしても、何故（なにゆえ）、日本は世界で置いてきぼりになるのか？

日本における不動産取引で、売り手と買い手の代理人を同一業者がすることは違法の最たるものだとアメリカ通の弁護士なら指摘する。裁判を好む欧米、嫌う日本人、結局ロゴスより日本人は情緒を重んじる。忠臣蔵のお裁きも法体系には叶っていない。欧米から見れば忠臣蔵は一人の老人を狙った計画的組織的殺人という解釈になる。

戦争と平和は対立する概念ではない。また民主主義への過重な期待は誤解の元凶となる。

デモクラシーは投票箱主義、衆愚政治に転落しやすい欠陥があり、「最大多数の最大幸福」とは少数派の意見は無視されるのが原則である。

日本に民主主義が根付いたのは戦後だったと誤解している浅薄このうえない向きが多い

が、マッカーサーに与えられたのではなく、縄文時代から日本は民主的だった。

縄文の生活用品は原始的であり、縄文土偶や火焔(かえん)土器は当時の芸術家が多数存在した事実を物語り、縄文土偶に現代アートのような芸術性を宿していたことは世界の文明史家が認めるところである。また日本刀は戦争の道具というより匠の作った「美術品」である。

絵画や音楽に見られる戦争のとらえ方。哀切か、美か。戦争をストレートに書いた文学がない。記録としての平家物語、太平記は勝つも負けるも、魂の救いを求める文学であり、戦前までの日本人には武士の精神が社会を律し、散華の美学、滅亡の美学があった。

ならば旧来の価値観を喪失した現代日本にかつてのような和の精神が満ち溢(あふ)れることは望み薄く、また冷戦終結以後、世界はどこまで平和だったのか?

この対談は以上のような命題を追求したものである。

令和二年三月

宮崎正弘　識

戦後支配の正体　1945—2020

もくじ

第一章　誰が戦後の歴史を作ったのか

第二章　赤い中国と北朝鮮を作ったアメリカ

第三章　冷戦後の災いを巻き起こしたネオコン＝干渉主義者

第四章　戦後経済の正体

第五章　世界は宗教が攪乱する

第六章　世界史に学ぶ日本の問題

第一章　誰が戦後の歴史を作ったのか

戦後も動かす戦前の歴史

宮崎　渡辺さんはカナダ在住ですが、年に一度日本に来られる機会をとらえての企画シリーズ、これが二冊目になります。この本では、第二次世界大戦終結後の一九四五年〜二〇二〇年までの戦後世界史を歴史・経済・宗教という観点を切り口に俯瞰(ふかん)したいと思います。戦後の世界秩序＝政治体制および経済体制を決めたのは大戦中の歴史、戦前の歴史の延長という特質が大きい。歴史は継続しているのです。したがって、とりあげる史実は戦後にこだわらず、また起こった事実を年代順に記す編年体という構成にもとらわれず、議論を進めていきたい。そうすることによって、現在に至る戦後秩序の大きな枠組みがどのような歴史的真実によって決められたか、いまの国際情勢の方向性がより明瞭になると思うからです。

欺瞞(ぎまん)と偽善で戦後を繕ったドイツでは「ナチスだけが悪かった」ことにしてドイツ国民には責任がないとする論理的飛躍で、戦後を生き延びてきました。じつに日本とは対極にあって歴史の断続をドイツは標榜(ひょうぼう)しているのですね。

しかし歴史の連続性は否定できない事実であってヒトラーの登場には「前史」がありま

す。ドイツはそれを認めたがらない。したがってヴァイツゼッカー大統領の欺瞞的な詭弁が平然と語られた。

すなわち「ドイツ史には『異常な一時期』があって、その一時期だけナチスという暴力集団に歴史が占領されたが、今は彼らを追い払って清潔な民主国家に生まれ変わったという前提」にドイツの政治家がとらわれた。

結果、政治的主張は矛盾していても何食わぬ顔でヴァイツゼッカーは日本でも次のような奇妙な含みのある主張を残しています。臆面がない主張といってもよい。

「ドイツは十二年間だけ悪魔に支配されたが、それ以前の歴史にもそれ以後の歴史にも悪魔はいない。丁度、フランスやオランダやポーランドがナチスという悪魔から解放されたと同じように、ドイツも一九四五年に悪魔の憑きが落ちて、綺麗さっぱり浄化された」

つまりドイツ国民には道徳的責任はない。背負うべきは政治的責任だと言ってのけたのがヴァイツゼッカーであり、自分の車を他人が運転して事故を起こしても、賠償責任が生じるが、「道徳的責任はとれない」との詭弁なのです。

西尾幹二（にしおかんじ）氏はこう言われます（『日本の行方』産経新聞出版）。

「大東亜戦争を可能にした主役が『近代』であったことは紛れもない。日本はアジアの中で唯一、近代を獲得し得たがゆえに、『近代戦争』に突入することが可能になったのである。そしてそれが可能であったがゆえに、戦後経済大国になることにも成功した。歴史は連続している。あの戦争は非力なアジアの一国の捨て鉢な叛逆だったのではない。反西欧・反近代のナショナリズムですべて説明できる事態でもない。欧米と互角だったからこそ可能になった、四年にもわたる長期戦争である。単なる暴発でも、自爆でもない。現代のテロと同質視するのはあまりにも無知である。思うに、保守思想界ではこの十年余、大東亜戦争の帰結として『アジア解放』が強調され過ぎてきた」

この最後の部分は渡辺さんとの前回の対談（『激動の日本近現代史1852―1941』ビジネス社）で私たちも同様な印象を発言していますが、戦前と戦後に歴史の連続性という文脈では断絶はないのです。

そこでこの章では、共産主義＝ソビエトへの無知、親和性を示したフランクリン・デラノ・ルーズベルト（以下ＦＤＲ）大統領とナチスドイツを叩くことに躍起になるあまりＦ

DR同様の親ソ外交をとった英国のウィンストン・チャーチル首相の米英二人の首脳により、世界革命を志向する共産主義を抑え込む橋頭堡となっていた日独が第二次世界大戦によって潰され、その結果、ソビエトが巨大化し戦後の米ソ冷戦体制を生むまでの政治体制の歴史を論じたいと思います。

原爆を積んだ米巡洋艦は日本の潜水艦に撃沈されていた

宮崎　昨師走（二〇一九年）、サイパンとテニアンに行ってきました。テニアン島の北部にあるハゴイ飛行場は、いまは米海兵隊が管理していますが、ご承知のとおり戦前の日本統治時代には海軍の重要な基地で、二五〇〇メートル級の滑走路が四本あった。テニアンの戦いで米軍に占領されるのですが、じつは、広島と長崎に原爆投下した二機の爆撃機はここから出撃した。広島に落とされたリトルボーイを積んだのがエノラ・ゲイ。長崎にファットマンを落としたのがボックスカー。どちらもおかしな愛称のついたB29でした。いまもその原子爆弾積荷場が三角屋根のガラス張りの施設に石碑とともに保存されていますす。スミソニアン博物館に原爆を落としたエノラ・ゲイを飾っているのと同じ神経ですね。滑走路もまだ二本は使用されているのですが、他は緑に覆われている。あそこはジャングルで偽装されているから上空から見ないと、まさか飛行場があるとは思わないでしょう。

広島と長崎に落とされた原爆によって世界大戦が終結したとアメリカは言い放っているわけですが、世界現代史の「戦後」はまさにそこから始まると言っていい。

渡辺 原爆の話から始めるとなると、やはり一つの象徴的な話としては、原爆をテニアンに運んで行ったアメリカの巡洋艦インディアナポリスが、その帰路に日本海軍の潜水艦伊58に撃沈されていることです。

宮崎 行くときに撃沈してくれたらよかった（笑）。

渡辺 だとしたらまた面白い話になっていたと思うのですが、原爆を運んだ巡洋艦が海の藻屑（もくず）に消えたというのは、一つの戦後を象徴するような話ではないかと思います。どうもアメリカもインディアナポリスが沈められたことは相当にショックだったらしくて、あまり触れたがりません。一九三六年、ＦＤＲはこの巡洋艦に乗って、ラテンアメリカ諸国を歴遊して「善隣外交」を繰り広げています。この船はアメリカ海軍の顔でした。撃沈の顛末（てんまつ）については最近になってようやく詳しいことがわかってきました（注：Lynn Vincent and Sara Vladic,『Indianapolis』,Simon Schuster, 2018)。

それから、原爆といえばやはりトルーマンですが、日本の原爆投下にはチャーチルも大

テニアンにある原子爆弾積荷場。いまは記念碑が建つ。ここでリトルボーイとファットマンを搭載した（撮影：宮崎）

きく関わっていた。したがって、日本ではポツダム宣言ばかり議論されますが、ポツダム会談自体が非常に重要です。

宮崎　ポツダム会談とは、一九四五年七月十七日～八月二日にドイツのベルリン郊外であるポツダムのツェツィーリエンホーフ宮殿で行われた会議。トルーマンとイギリスのチャーチル（途中クレメント・アトリーと交代）、ソ連のスターリンが、第二次世界大戦の戦後処理と日本の降伏条件を協議したとされています。実際に私も二回、この宮殿を見に行っておりますが、広大な敷地に小川が流れ、ポロ競技もできる。こんな優雅な場所で深刻な議題を煮詰めたとは！

渡辺　ポツダム会談で大きな話というの

は、やはり「原爆をどうするのか」という議論なんです。そしてトルーマン自身も悩んでいた。しかし、亡くなられた鳥居民先生（『原爆を投下するまで日本を降伏させるな』草思社文庫）が言っているように、どうしても落としたかったわけです。それもウラン型とプルトニウム型の両方を。

宮崎　極秘で巨費をかけて作ったんだから落とさずにはいられない。

渡辺　ＮＤＲ（国防研究委員会）が極秘で進めていた開発で、仮に原爆投下がされなければ、民主党政権自体がもたないぐらいの規模の投資でしたから。

宮崎　しかし、ネバダ州の砂漠で実験したのは長崎型のプルトニウム原爆だけでしたね。

渡辺　ウラン型というのは、構造が単純なのですが、プルトニウム型というのはプルトニウムに核分裂反応を起こさせなくてはならないので合計で二五〇〇キログラムの爆薬をつめた爆縮レンズを使用しています。起爆メカニズムが複雑なのでどうしても実験をしておきたかったのです。

　ファットマンの重量の半分以上を爆縮レンズの爆薬が占め、直径は一三七・八センチメートルもありファットマン（ふとっちょ）という名前の由来にもなっています。一方のウラン型の起爆は言ってみれば単純な火打石構造。だから細長くなりリトルボーイと呼ばれました。

ファットマンが成功すればウラニウム型のリトルボーイの成功は確実視されていました。

宮崎　それでリトルボーイを先に広島に落とした。

渡辺　とはいえ、ポツダムからの帰途の船上でその成功の報を受けたトルーマンは欣喜雀躍したというのですから、やはり実際に投下するまでは相当な不安もあったのでしょう。

原爆を落としたのはチャーチル？

渡辺　ポツダム会談についてですが、アメリカの若手歴史家マイケル・ネイバーグが詳細な分析を試みています。原爆を落とすことを決断するのはトルーマンですが、じつは最後にその背中を押したのはチャーチルだということをこの本が暴いてます（注：Michael Neiberg,『Potsdam』, Basic Books, 2015、本邦未訳）。

その経緯をいうと、まずケベック会談（一九四三年八月）が重要です。

宮崎　ケベックはカナダ東部ですね。しかしケベック会談なんて日本人はほとんど知らないですよ。

渡辺　しかしその会談でチャーチルとルーズベルトは英米共同プロジェクトである原爆開発の進め方とその使用原則について協議し、四つの合意に達していました（ハーバート・フーバー『裏切られた自由』上巻）。

第一に開発された原爆は互いを攻撃するためには使用しない。第二に第三国に使用するさいは他方の国の同意が必要。第三に、両国の同意がない限り第三国に開発計画にかかわる情報を流さない。第四に、開発にあたっては米国が大きく負担することを確認する。日本にとって重要なのは第二で、これは米国が核兵器開発に成功しても英国の同意がなければ使用できないことを意味していました。つまり、広島・長崎への原爆投下は英国の容認のもとに行われたのです。

チャーチルとトルーマンはポツダムで原爆投下について軍事アドバイザーを交えて協議した。

そもそも原爆使用の議論には「使用すべきではない」とするものから、「警告のうえ、使用する」、あるいは「山間部に使用する」といった意見がありました。たとえばマンハッタン計画の総括責任者であるレズリー・グローヴス准将は、純粋に軍事的観点から無警告投下でかつターゲットは京都にするよう強く主張していました（『スチムソン日記』）。京都が新型爆弾で破壊されれば日本人の心理的ショックは計り知れないと考えたからです。

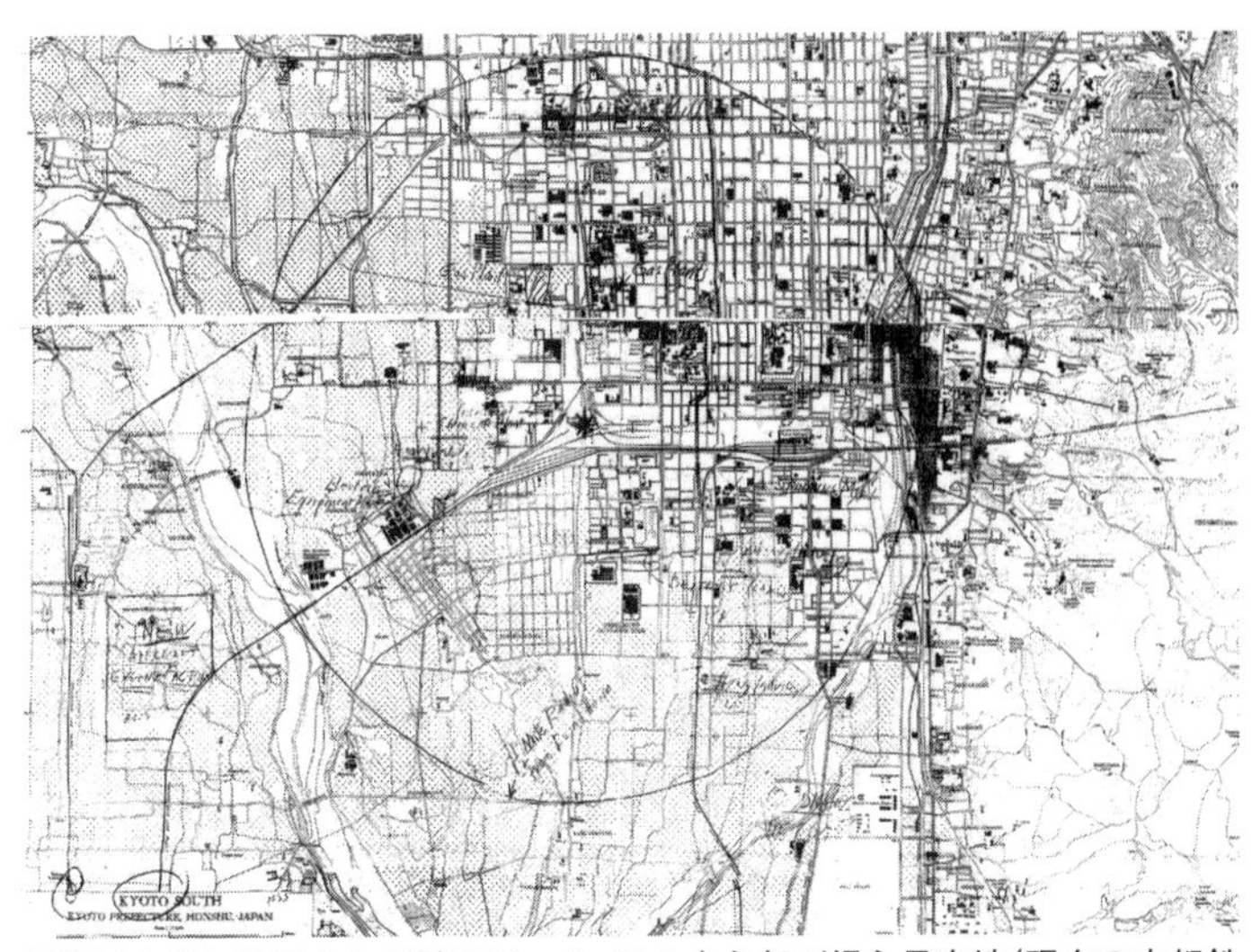

原爆は京都に投下される計画だった。円の中心部が爆心予定地（現在の京都鉄道博物館付近）

これを断固拒否したのはスチムソンです。

私はスチムソンこそが日米戦争を煽（あお）った重要人物として見ているので嫌いなのですが、フィリピン民政長官だった彼は京都に数度旅行したことがあり、この町に魅せられていた。日米戦争の戦いをリードした人物が京都を破壊から救ったのは歴史のアイロニーです。逆に広島が犠牲になってしまいましたが。

宮崎　日本では京都に落とされなかったことをアメリカが文化財を救ったのだと美談に仕立てましたね。

渡辺　美術史家のランドン・ウォーナー博士の功績にされ京都や奈良、鎌倉にも顕彰碑が建てられています。確かにウォーナーは日本美術に造詣が深く、横山大観、柳宗悦、志賀直哉らとも親交があり、実際京都の文化財リストも作成しているにはいるのですが、投下地選定には何の影響力もありませんでした。

スチムソンが「無警告で都市に使用する」ことを決定するのですが、実際の投下に迷いを見せていたトルーマンにチャーチルは「日本は真珠湾を警告もなく攻撃し、貴国の若者を殺したではないか」と言ったといいます。

宮崎　それはすごい話です。ポツダム会談時、チャーチルは選挙で大敗して途中から労働党の新首相のクレメント・アトリーと交代しているから、その前ですね？

渡辺　七月二十八日に交代する前です。チャーチルのこの言葉を聞いていたのは、ジェイムズ・バーンズ国務長官のアシスタントだったウォルター・J・ブラウンだとネイバーグは書いています。

ですからチャーチルが原爆を使わせたかったのは間違いないでしょう。

宮崎　だいたいチャーチルは、民間人への無差別の絨毯爆撃を許可したでしょ。ドイツに対しても酷かった。

渡辺　一九四一年七月にドイツのルール、ラインラント地方に対する夜間爆撃が始まりで、特に激しかったのが四五年二月に行われたドレスデンへの空爆です。三九〇〇トンの爆弾を投下し、死者は二万五〇〇〇～三万五〇〇〇に上ると推定されています。

宮崎　米軍の東京大空襲（一九四五年三月十日）の一〇〇〇トンの爆弾に死者は一〇万人だからいかに残虐だったかわかろうというものです。ドレスデン空爆に関してはドイツ在住の川口マーン惠美さんの力作（『ドレスデン逍遥』草思社）があります。

渡辺　イギリスは少なくとも外交上は民間人の犠牲には敏感で、ナチスに対してもその点で批判していた経緯がありますから、これは明らかなダブルスタンダードです。第一次世界大戦の際には、ありもしないドイツ軍によるベルギー民間人虐殺を創作してまでイギリス国民のドイツ憎しの感情を煽りました。第二次大戦においても民間人を殺傷するナチスドイツを非人道的国家と罵り（ののしり）ながら同様のことをしたため、それを正当化するレトリックをチャーチルは考えなくてはならなくなりました。それが「ドイツ人は民間人であっても軍の重要なパーツである」です。アメリカもこれに倣って日本を空爆しました。「広島の市民は軍事工場で働いているから軍の重要なパーツ。民間人ではない」というロジックです。これが原爆投下を正当化する主張ですが、そのルーツはチャーチルにあります。

宮崎　だいたい「原爆によって終戦を早めた、だから必要悪であった」というのが、原爆を正当化するアメリカの一貫した論理です。これでアメリカ人が納得するというのもおかしい。偽善ですよ。それを被害者で怒っていいはずの日本人があっさり受け入れて信じ切っているのも異常です。

渡辺　仮にこの論理を認めるとすれば、将来時点においても同様のロジックで核兵器使用が正当化できます。必要悪というロジックは決して認めてはなりません。

なぜ財務省のホワイトが外務省マターのハルノートを書けたのか

渡辺　前掲書の『ポツダム』によると、トルーマンとチャーチルがポツダムで熱心に打ち合わせたことは、原爆の対日使用案件でした。スターリンには「原子爆弾」とはいわずに「新型爆弾」を開発したとトルーマンは伝えました。ところが、スターリンは、英国情報部（ＭＩ６）に潜ませたスパイであるキム・フィルビーから事前に報告を受け、原爆開発の進捗（しんちょく）状況を詳細に把握していました。スターリンはポツダムに帯同していたベリア（注：ラヴェンチー・ベリアＮＫＶＤ〈内務人民委員部〉長官）と、原爆についての話題が出た場合の想定問答まで打ち合わせていました。だから、「それは良かった。日本に使える」と冷静に応じたのです（『ポツダム』）。

宮崎　スパイといえば、ＦＤＲ政権に潜り込んだ共産主義のスパイが、巧妙に上役に取り入って政権を実質的に操り、外交をコントロールし、いずれもがスターリンにつながって

ソビエトスパイ：キム・フィルビー、のちにソビエトに亡命し英雄となった

いたことが「ヴェノナ文書」の開封によって、明らかにされました。ヴェノナ文書の邦訳がやっと近年そろいましたが、日本の左翼のインテリたちは、沈黙したままです。

渡辺さんのご著書『第二次世界大戦　アメリカの敗北』（文春新書）は「歴史修正主義」の正しさを証明した作品です。米国を誤った道に陥らせた世紀のスパイとして、財務省ナンバー2のハリー・デキスター・ホワイトと国務省高官のアルジャー・ヒスをとりあげ、この二人の大物スパイの行状に焦点を当てながら近現代史の再叙述を試みる意欲作です。

いわばこの二人が戦後の世界秩序を守る国際機関を創設したといっていい。前者はＩＭＦ（国際通貨基金）、後者が国際連合です。

ホワイトといえば、日本に日米戦争開戦の最後通牒（つうちょう）を突き付けたコーデル・ハルの「ハルノート」の原案を書いたことは有名でしょう。そして、ホワイトの政治的影響力の後ろ盾になったのが「モーゲンソープラン（ドイツの工業力を徹底的に破壊したうえで農業国化するドイツ弱体化政策）」のヘンリー・モーゲンソー（ユダヤ系）財務長官です。

左:ヘンリー・モーゲンソー財務長官(1891-1967)
右:ハリー・デキスター・ホワイト財務次官補(1892-1948)

ホワイトは経済学者として優秀でした。ハーバード大学で経済学の博士号を取得した彼にワシントン中枢に入るきっかけを作ったのは、シカゴ大学教授のジェイコブ・ヴァイナーという近代経済学の大物学者です。のちにホワイトはブレトンウッズ会議ではイギリス代表のケインズとも対等に協議しています(本書第三章参照)。また、モーゲンソープランの立案にも関わっている。ホワイトはFDRが始めたニューディール政策のブレーンの一人としてワシントンにやって来たユダヤ系の経済学者だ。彼はモーゲンソーの秘書に気に入られて長官と親密になったが、確かに優秀な男でした。

FDRは馬が合った親友モーゲンソーを財務長官に抜擢(ばってき)したものの、モーゲンソーは農学畑でなにせ経済の知恵はない。

だから優秀なホワイトは重宝される存在になった。ＦＤＲはモーゲンソーに、国務長官マターである外交政策を含めて何もかも相談していた。モーゲンソーも知恵がないからホワイトに頼った。こうして彼の建言が国家の方針にまで採用されることになった。

ルーズベルトとモーゲンソーが経済学の素人だったことが彼の影響力を強めたと渡辺さんは指摘していますね。

渡辺　歴史修正主義に立つ歴史家アンソニー・クベックは、「閣僚の格付けでいえばモーゲンソーは国務長官の下に位置するはずだった。ハル国務長官は、モーゲンソーがルーズベルトの虎の威を借りて国務省マターに口を出してくることに不満だった」と書いています。日本ではハルノートに対する批判が大きいですが、当のハル自身も不愉快だったのです。

一九四一年当時、ソビエトの情報機関ＮＫＶＤ（のちのＫＧＢ）はワシントンに二つの諜報グループ、シルバーマスターグループとパーログループを組織していました。ホワイトが所属していたのはシルバーマスターのほうです。

ヒスがスパイであることを否定したＦＤＲ

宮崎　もう一人のスパイ、アルジャー・ヒスをワシントンに送りこんだのは、ハーバード大学教授のフェリックス・フランクファーターです。彼は、ルーズベルト政権に影響力を発揮し、「多くの門下生」を送りこむ役割を果たしています。なかには朝鮮戦争の引き金となった「アチソン・ライン」（第二章参照）のディーン・アチソンもいた。

法学系官僚のヒスは農務省から国務省に配属され、ヤルタ会談〈一九四五年二月四日〜十一日〉では中堅官僚に過ぎないにもかかわらず実質的にアメリカのナンバー3として会談を取り仕切った。また、国際聯盟に代わる組織となった国際連合設立の会議（サンフランシスコ会議：一九四五年四月二十五日〜六月二十六日）もヒスが仕切りました。国連創設はルーズベルトが敬愛するウッドロー・ウィルソンの果たせなかった夢だった。それに注ぎ込むルーズベルトの熱意は並々ならぬものがあり、事務方を任せられていたヒスへの信頼は絶大でした。

アルジャー・ヒス（1904―1996）：戦後スパイの疑いで議会証言を求められた

じつはヒスがソビエトのスパイであると警告が入ったことがあるのですが、ルーズベルトはまったく受け付けず、注意を促した高官に、「その辺の湖に飛び込んで頭を冷やせ」と叱責するほどでした。

KGB博物館の入り口はやはりスターリン（撮影：宮崎）

渡辺　ヒスがＦＤＲに信用されたのはハーバード卒の典型的な東部エスタブリッシュメントの一員であり、彼と同様にブレイントラスト（ニューディール政策若手文系テクノクラート）として送りこまれてきた仲間も彼を擁護した、という点が挙げられるかと思います。その点、ユダヤ人のホワイトは東部エスタブリッシュメントからは外れた存在でしたが、彼にはモーゲンソーの後ろ盾があった。

宮崎　ここでちょっと脱線ですが、二〇二〇年一月下旬にもＮＹにアメリカ大統領選挙の予備選の取材で行ったのですが、八番街の一四丁目の西の外れに、おっかなビックリの「博物館」が新設されていました。

その名も「ＫＧＢ博物館」。入り口にはスターリンの大型人形。一七ドルの入場料を支払って展示パネルを見ていくと、ロンドン地下鉄殺人事件（ロンドン地下鉄駅で起きたブルガリアからの亡命者をKGBは特別仕掛けで切っ先に毒を塗り込んだこうもり傘で刺殺した）の傘がガラスケースに飾られていました（当時レプリカが三本作られたのです）。

ほかに当時最新鋭だった小型カメラ、録音機、暗号解読器、乱数通信機など。拷問器具の展示の奥がジェルジンスキー（KGB創設者）の部屋が再現されていて、なかなか壮観でした。フェリックス・ジェルジンスキーはベラルーシ生まれのポーランド系ロシア人で若き日にはイエズス会の司祭になることが夢だったという繊細な人間でした。マルクス主義にかぶれて人間性が破壊されてしまったのです。

なにしろ米国では共産主義ロシアの記念碑的なものがちゃんと保存されており、たとえばフーバー研究所には、ロシアにもない「赤旗」の創刊号があったりします。敵の情報収集には年季が入っています。

フーバーが注視したテヘラン会議の二つの密約

宮崎　さて、話を戻すと、『裏切られた自由』によるとフーバーはヤルタ会談よりもむしろカイロ・テヘラン会談（一九四三年十一月末〜十二月末）を非常に重要視してますね。ここで戦後世界のあり方が決められたと解釈し、「戦後の悲劇的な世界を作ってしまうターニングポイント」であると見た。

渡辺　フーバーは回顧録において、第二次世界大戦中に行われた数々の首脳会談に注目しています。会議や会談は都合一八回行われていますが、おそらく大半の読者がよく知らないことだと思います。

なかでもカイロ・テヘラン会談に紙幅を費やしています。

しかし、分析しようにも内容は長い間秘匿されたため、知ることは簡単ではなく歴史家を悩ませてきたと書いています。

実際、カイロ・テヘラン会談について国務省が公式記録を発表したのは、実際の会談から一八年も待たなければなりませんでしたが（一九六一年六月）。それよりあとに行われたヤルタ会談については、その八年前に発表されています。特にテヘラン会談でルーズベルト、チャーチル、スターリンによって何が話されたのか、確かにその全貌（ぜんぼう）はいまだわかりにくいものがあります。

宮崎　渡辺さんは『裏切られた自由』の詳細な解説を書いた『誰が第二次世界大戦を起こしたのか』（草思社）のなかで、回顧録には収録されていない重要な事実を二点指摘されています。

第2次世界大戦中に行われた首脳会談

1、大西洋会談〈1941年8月9日～12日〉ルーズベルト大統領、チャーチル首相

2、第1回ワシントン会談〈1941年12月22日～1942年1月14日〉ルーズベルト大統領、チャーチル首相

3、批准会議〈1942年1月〉26カ国代表(ワシントンにて26カ国代表が批准に集まった)

4、第2回ワシントン会談〈1942年6月18～25日〉ルーズベルト大統領、チャーチル首相

5、カサブランカ会談〈1943年1月14～24日〉ルーズベルト大統領、チャーチル首相、シャルル・ド・ゴール将軍(自由フランス代表)

6、第3回ワシントン会談〈1943年5月12日～25日〉ルーズベルト大統領、チャーチル首相、宋子文(蔣介石代理)

7、第1回ケベック会談〈1943年8月11日～24日〉ルーズベルト大統領、チャーチル首相、マッケンジー・キング首相(カナダ)、宋子文

8、第1回モスクワ会談〈1943年10月19～30日〉コーデル・ハル国務長官、アンソニー・イーデン英外相、ソビエト外相ヴァチェスラフ・モロトフ、傅秉常(蔣介石代理・駐ソ大使)

9、第1回カイロ会談〈1943年11月22日～26日〉ルーズベルト大統領、チャーチル首相、蔣介石総統

10、テヘラン会談〈1943年11月28日～12月1日〉ルーズベルト大統領、チャーチル首相、スターリン

11、第2回カイロ会談〈1943年12月2日～7日〉ルーズベルト大統領、チャーチル首相

12、ダンバートン・オークス会談〈1944年8月21日～10月7日〉連合国代表(戦後の和平維持機構の草案作成が目的の会議)

13、第2回ケベック会談〈1944年9月11～16日〉ルーズベルト大統領、チャーチル首相、マッケンジー・キング首相

14、第2回モスクワ会談〈1944年10月9日～20日〉スターリン、チャーチル首相、アンソニー・イーデン外相、アヴェレル・ハリマン米駐ソ大使

15、マルタ会談〈1945年1月30日～2月2日〉チャーチル首相、米国代表(ルーズベルトのマルタ島着2月2日)

16、ヤルタ会談〈1945年2月4日～11日〉ルーズベルト大統領、チャーチル首相、スターリン

17、国連憲章会議〈1945年4月25日～6月26日〉連合国代表(戦後の平和維持機構の憲章〔国連憲章〕の批准が目的の会議、サンフランシスコで開催)

18、ポツダム会談〈1945年7月17日～8月2日〉トルーマン大統領、チャーチル首相、クレメント・アトリー首相(途中、選挙で与党となったアトリーがチャーチルと交代〔7月28日〕)

第2次世界大戦中に行われた首脳会談の場所

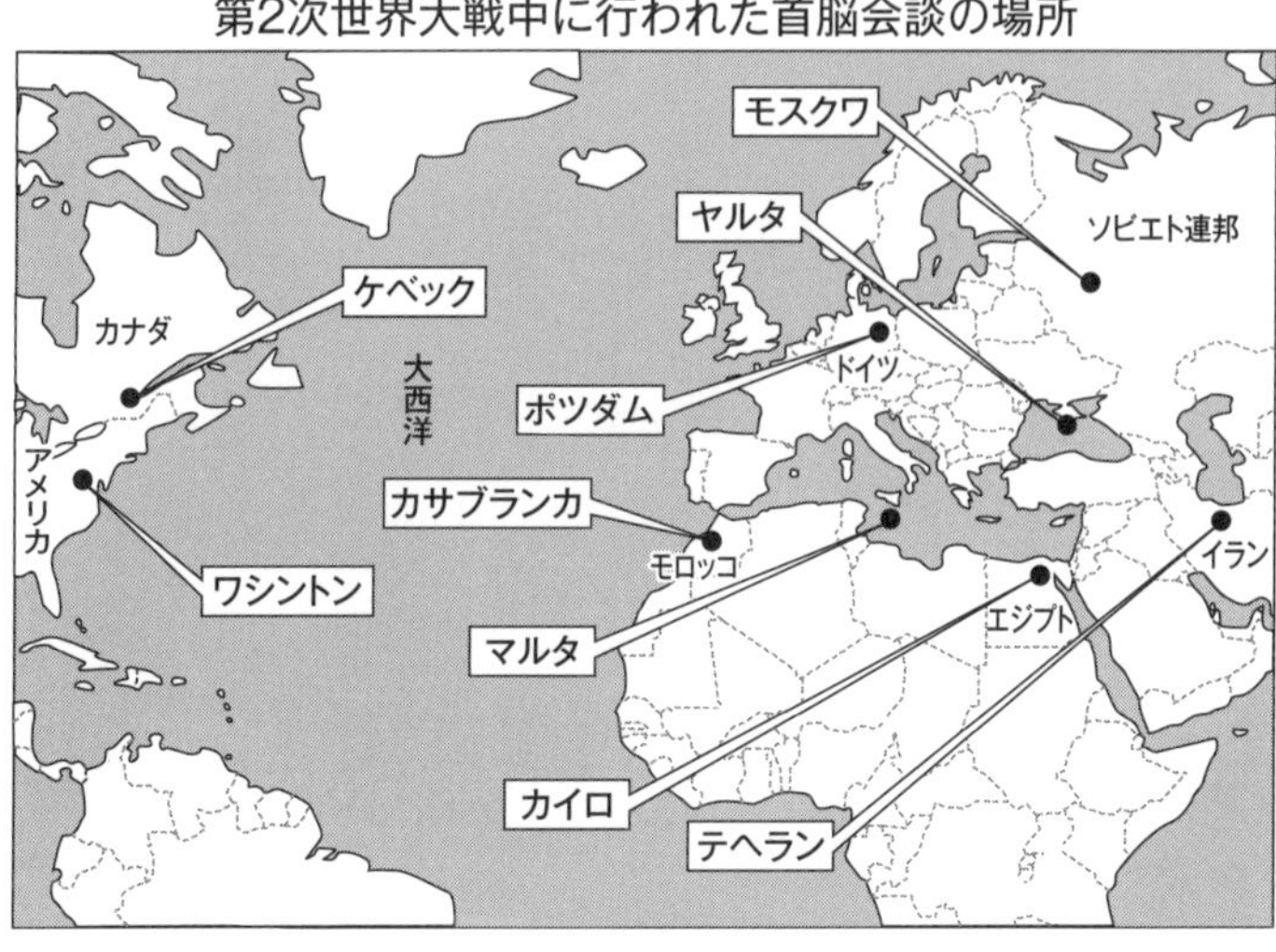

第一に、当時のFDRの健康状態、第二に、十一月二十八日におけるFDRの奇妙な行動についてです。

まず第一点目からお聞きしたいのですが、FDRの五人いた愛人の一人とされているマーガレット・サックリーの残した日記によると、FDRの体調は一九四三年半ばから急速に悪化していた。しかも左眉上の皮膚癌（悪性黒色腫）が脳に転移していたのではないかという推察もある（『ルーズベルトの死の秘密』スティーヴン・ロマゾウ、エリック・フェットマン、草思社）。つまり、脳に何らかの障害がありテヘランではまともな政治判断ができる状態ではなかった？

渡辺　興味深いのは、それにもかかわらず、FDRは地球を半周してまでスターリンとの会談を望んだことです。カイロからテヘランまでは大統領専用機（DC4）による八時間の飛行でしたが、同行の主治医らは大統領の体調を心配して気が気ではなかったといいます。

そして、テヘランに到着した翌日の十一月二十八日にアメリカ代表団は米国公使館から一・六キロ先のソビエト大使館に厳重なガードのもと車で入るのですが、ここに乗っていたのは大統領の影武者でFDR本人は別の道を通り、しかも裏口から大使館に入った。これが第二点目のFDRの奇妙な行動です。

宮崎　ソ連大使館に？

渡辺　このことはアメリカ中央情報局（CIA）の論文に詳しく載っています。それによると、ソビエト（NKVD）側から、パラシュート降下したドイツの暗殺部隊三八人がテヘランに潜入し、その多くはとらえたものの、まだ六人の行方が知れないことが伝えられていたからだといいます。

宮崎　チャーチルは、FDRにソビエト大使館に隣接する英国大使館に滞在するよう勧めていたわけでしょ。それをルーズベルトは断った。ようするに彼は、本音ではチャーチルよりもスターリンとの話し合いを優先したかった。

渡辺　現にFDRはテヘランに入る前のカイロに到着した時点で、スターリンに二人だけで会談ができる環境を暗に求める親電を打っています。スターリンもこれには願ったりかなったりです。したがって、ドイツの暗殺部隊の話もその口実に利用したのでしょう。ただ暗殺部隊は確かにテヘランに入っていたようです。そのことはビル・エンヌという歴史家が詳しく書いています（注：Bill Yenne,『Operation Long Jump』, Regnery, 2015）。

ＣＩＡの論文ではソビエト大使館での会話は完璧に盗聴されており、ＦＤＲのその判断が安全保障上いかに危険で愚かだったかを論じています。ＦＤＲとスターリンはチャーチル抜きの会談を通算三度行いますが、これがその初めになりました。

宮崎　大使館が盗聴されているなんて常識じゃない。だからＦＤＲは本当に耄碌（もうろく）していた可能性が高い。もっとも、政権内にソビエトのスパイが大量に入り込んでいたことを考えれば驚くに当たらないかもしれませんね。

渡辺　そのときスターリンは第二次世界大戦が終わり次第、ロシア国内に信教の自由、私有財産制度、そしてより一層の民主主義的制度を導入すると約束しているのです。喜んだルーズベルトは見返りに、ポーランドとの国境線引きについてソビエトの自由裁量を認め、バルト諸国の支配（併合）も容認したというのです。もしこのＣＩＡ論文が本当だとしたら驚愕（きょうがく）です。

いかんせんスターリンは条約について、次のように嘯（うそぶ）いていた男です。

「愚かな官僚は別として、誰が紙に書かれた約束事を信用するだろうか？　共産党、そしてその指導者の評価は、いかなる声明を出したかで決まるものではない。何をしたかで決まる。声明文書をありがたがるのは、書庫を駆けずり回るネズミくらいのものである」（一九三一年におけるスターリンの声明）

このようなスターリンや共産主義者の欺瞞を知悉していたフーバーなら騙されるはずのない空手形です。こともあろうにＦＤＲはそれを無邪気に信じて、ごく短い会話で、バルト諸国やポーランドの戦後の運命まで勝手に決めてしまった。

ＦＤＲがなぜテヘランのソビエト大使館に泊まったかについてですが、私はずっと考えてきました。いまでは、ＦＤＲには「情報の露出趣味」があったのではなかったか、と考えています。要するに、盗聴されていることがわかっていながら無警戒を装って、いかに自分がソビエトを信用しているかをスターリンに見せたかった。そうすることでスターリンを信用させたかった。ＦＤＲは自分には人を操る類まれな才能があると信じていました。結局は策に溺れたのです。

宮崎　人間の基本的な部分に何か欠点がある人物だ。

渡辺　テヘラン会談の前には、チャーチルとスターリンが不仲であることをＦＤＲは知っていました。だからこそスターリンとの二人での会談にこだわったのですが、チャーチルはのちのどこかの場面で二つの密約に同意したと思われます。というのも、会談後にFDRとチャーチルのソビエトに対する発言に明らかな変化が見られるからです。二つの密約とは、ソビエトに隣接する国々の共産化とポーランドに親ソ政権を作ることです。フーバーは一九四四年に行われたチャーチルの二つの議会演説に注目しています。

「ロシアが将来の西方からの攻撃に対して安全保障を求めるのは当然のことである。我々はロシアがそれを確実にするために何でもすることになる。ロシアの軍事増強を認めることもそうであるし、国際連合による（ロシアの安全保障を求める動きの）承認あるいは同意といったものが必要である。ロシアが西の国境を安全にしたいと願うのは理解できるし、また当然のことだ」（二月二十二日）

「彼ら（ソビエト）は、ポーランドが親ソ的な友好国になることを願った。彼らの考えは理解できる。ルーマニアはそうでなくてはならないし、ブルガリアもそうだろう」（八月二日）

宮崎　二つの密約により、ソビエトによる七つの民族――エストニア、ラトヴィア、リトアニア、ベッサラビア、ブコビナ、フィンランドの一部、ポーランドの一部――の完全な

大西洋憲章

1. 合衆国と英国の領土拡大意図の否定
2. 領土変更における関係国の人民の意思の尊重
3. 政府形態を選択する人民の権利
4. 自由貿易の拡大
5. 経済協力の発展
6. 恐怖と欠乏からの自由の必要性
7. 航海の自由の必要性
8. 一般的安全保障のための仕組みの必要性

あるいは部分的な併合を認め、またソビエトがその周辺部に親ソ的な国（共産主義化した国）を持つことを許したことになります。これには、「今世紀最悪の自由に対する裏切りであった」とフーバーは憤慨しています。当事国の意思を無視するものであって、完全に大西洋憲章に逆行する。

ヤルタで除け者にされたチャーチル

宮崎　ヤルタ会談のときには、ルーズベルトの病状はさらに悪化していた。病身を押して重巡洋艦「クインシー」で二週間もかけてマルタ島へ行き、そこからヤルタまで飛行機で飛んだ。

渡辺　病状を慮って、機長には一八〇〇メートルから二〇〇〇メートルという低空飛行で飛んでもらったと付き添った医師が記録しています（『ルーズベルトの死の秘密』）。会談をヤルタにしたのもスターリンの希望です。FDRは会談には飛行機に乗らないで済む場所を提案していたのですが、すべてスターリンに拒否されてしまいました。チャーチルはヤルタについて「スターリンは（英米から）最も遠く最も不便かつ不快な場所を選んだ。我々にもう少し時間があれば絶対にこの場所を選ぶことはなかった。ここはチフス菌や虱（しらみ）の天国のようなところだ」とFDRに伝えています。

宮崎　そんな無理をしてまでもFDRはスターリンに会いたかった。

渡辺　実質的にこの会談の仕切りをしたのは、前述のアルジャー・ヒスです。

宮崎　一方、テヘランで蚊帳（かや）の外に置かれたチャーチルからすればヤルタ会談では挽回をしたかったはずです。この会談に先立って行われたマルタ会談で、チャーチルはFDRと英米両国の見解を事前調整したかったのに、FDRは体調不良もあったのでしょうが、何の打ち合わせもしようとしない。結局、何も決められずヤルタ会談に臨まなくてはならなくなった。

私も、ヤルタ会談の現場、リヴァディア宮殿にも行ったことがありますが、これはロシア皇帝ニコライ二世の別荘で、目の前が黒海。ここはルーズベルト一行の宿舎でもあります。チャーチルはそこから車で一時間くらい奥にあるアルプカ宮殿で過ごした。毎日が暇だから、ぶどうを摘んで、ワインを試飲していたといいますね。そのアルプカ宮殿も見学しましたが、燦々（さんさん）と太陽の輝く別天地、近くはブドウ畑でした。スターリンは、この二つの宮殿の中間にあるユスポフ宮殿に陣取った。ＦＤＲとチャーチルの二人だけの密談は許さないという意思表示ですよ。

渡辺　一方、スターリンはテヘランと第二回モスクワ会談で東ヨーロッパの共産化を認められていたので、焦って会談をする必要はなかった。

宮崎　会談の中心議題は戦後のヨーロッパのあり方ですが、ここで特に問題になるのはポーランドです。そもそも第二次世界大戦はナチスドイツのポーランド侵攻から始まるわけですが、結局、戦後ポーランドには赤軍が入り共産化した。これではなんのために戦争をしたのかわからない。

渡辺　戦後中国の共産化も含めてＦＤＲとチャーチルの戦争指導がいかに誤っていたかの最たる証左です。だいたい共産国家であるソビエトを連合国に入れた時点で欺瞞以外の何ものでもない。「敵の敵は味方」という単純なロジックです。ヤルタ会談後の声明文もそうです。

「ヨーロッパにおける秩序の再構築と経済の回復は、ナチズムおよびファシズムの痕跡（こんせき）を一掃することから始めなくてはならない。そのうえで、自らの望む民主主義的政体を創造していかなくてはならない。それが大西洋憲章である。それぞれの国民は自ら望む政治体制を選ぶ権利を持つ。侵略国家によって奪われた主権と自治の回復がなされなくてはならない」

問題は「侵略国家によって」という語句が加えられていることです。ソビエトは「和平を希求する国家」と定義されていた。つまり、「侵略国家」ではない。したがって、ソビエトに占領された地域は適用除外になるという解釈の道を残したとフーバーは言います。

フーバーは書いていませんが、この解釈はチャーチル（英国）にとっても都合がよかったはずです。なぜなら、イギリスの植民地にも適用可能なロジックだからです。大西洋憲章は、表向きの正義面をするための方便に過ぎないことがよくわかります。だから、あの戦争がポーランドの独立を守るためだったはずなのにそんなことはどうでもよくなっている。

「世界は腹黒い」（高山正之氏）のです。そうした例はほかにもたくさんあります。たとえば、戦後ドイツ人の捕虜の多くが連合軍の収容所で餓死するのですが、本来これは戦争捕虜の扱いを規定するジュネーブ条約違反です。しかし、この批判を避けるために、米英は投降したドイツ兵を「戦争捕虜（Prisoners of War）」と定義せず、米国は「武装解除された兵士（Disarmed Enemy Forces：ＤＥＦ）」、英国は「降伏した敵国人（Surrendered Enemy Personnel：ＳＥＰ）と名称変更し、批判をかわす工夫をしています。

日本の為政者に腹黒くなれとはいいませんが、世界はかように残酷で狡猾(こうかつ)であることは知っておいたほうが良い。

「恐れていた以上にひどい」極東秘密協定

宮崎　ヤルタでは極東に関する秘密協定も結んでいて、日本にとっては重要です。ここで、日ソ中立条約の期限が残っているにもかかわらず、ドイツ降伏後の二カ月から三カ月後にソビエトが対日戦争に参戦する合意を英米とします。条約を無視する参戦を求めただけに、ソビエトに対する見返りが過大です。

1、外モンゴル（モンゴル人民共和国）の現状維持。

2、一九〇四年の日本の攻撃によって失われたロシアの利権の回復。

A、南サハリンおよびその周辺の諸島のソビエトへの返還。
B、大連港の国際港化、同港におけるソビエトの利権の恒久的保護、ソビエトの軍港として利用することを前提にした旅順口の再租借。
C、東清鉄道および南満洲鉄道から大連への路線は、ソビエト・中国共同の会社によって運営される。これに伴うソビエトの利権は保障される一方、満洲の主権は中国に属するものとする。
3、千島列島（The Kuril Islands）はソビエトに割譲（shall be handed over）されるものとする。
右記の外モンゴル、港湾と鉄道に関わる合意については、蔣介石総統の同意（concurrence）を条件とする。大統領は、スターリンの助言を受けながら、蔣介石の同意を取りつける努力をする。

ソビエトの要求事項は、日本の敗戦後には確実に履行される（unquestionably fulfilled）ことで合意した。一方ソビエトは、中国政府と友好条約および軍事同盟を結び、中国の日本からの解放の戦いに軍事力を提供する準備ができていることをここに表明する。

千島列島は一八七五年に千島樺太条約によって正式に日本領土となっていたところですよ。中国に対しても酷いのは蔣介石の同意なしで勝手に決めてるんだから。

渡辺　当時のアメリカの軍関係者はソビエトには南サハリンをやれば十分だと認識していました。一九四六年にこの合意内容が公開されると、ソビエトに対する「意味のない賄賂」「恐れていた以上にひどい内容」とアメリカのメディア（『ニューヨーク・ワールド・テレグラム』一九四六年二月十四日）も酷評しています。

チャーチルが大連と旅順港を租借することに反対しなかったのもどうかと思います。日露戦争はそれを阻止するための戦いでもあったはずなのに。チャーチルはイギリスの租借地である香港を返還したくないがために、認めたのです。

現在も日本を苦しめる北方領土問題は、このヤルタ会談に起因しています。ですから、この問題は、アメリカがヤルタ会談の失敗を認めるまでは解決しないと思っています。

ここで一つ付言しておきたいのは、領土の獲得に関わるアメリカの狡猾さです。狡猾というよりも、「なかなか要領がよい」と言ったほうがいいかもしれない。彼らの領土獲得の方法は二つあります。一つは、住民の自由意思でアメリカへの帰属を求めさせる。テキサス共和国やハワイ共和国で使ったやり方です。もう一つは金銭で獲得する方法です。仏領ルイジアナ（注：現在のアイオワ、アーカンソー、カンザスなど現在の一五州にまたがる広大な土地）はフランスから、カリフォルニアはメキシコから、アラスカはロシアから、フィリピンはスペインから購入しています。

注目すべきは、米墨戦争（一八四六〜四八年）や米西戦争（一八九八年）では戦いで勝利したにもかかわらず、メキシコそしてスペインから領土を買い取った形にしている。決して奪ったことにしていない。戦争に勝って領土を取れば、負けたら失うことを意味します。アメリカは、領土拡大にあたっては、形式上とはいえ、戦争の勝敗とは関係のない売買の形にしている。アメリカのプラグマティズムの極致です。

領土を「金で買う」ことは世界標準では普通のことです。ですから、「失われた北方領土をお金でかたをつけられないか（購入できないか）」と考えてもよい。北方領土は条約に基づくれっきとした日本の領土です。それなのにお金を払うのか、という声が出そうですが、腹黒い世界と渡り合うにはそうでもしないとどうにもなりません。もちろん戦争に勝てば領土は回復できますが。

逆に、ロシアに金を払わせて北方領土を買わせることで結着させる手だってある。彼らの持つ豊富なエネルギー資源へのアクセスとの交換だって考えてよい。旧領民にはそれで何らかの補償をする。いずれにせよ、金で解決すると割り切ればいろんな知恵が出て来ます。これはあとでもう一度議論したいと思います。

チャーチルとトルーマンはソビエトに「敗北」してしまったことに気づいていた？

渡辺　これは史料として証拠がないので、推測になるのですが、チャーチルは自分とＦＤＲが進めた対ソビエト宥和（ゆうわ）外交が間違いであることにどこかの時点で気づいたのではなかったか。つまり、スターリンのソビエトより、ナチスのヒトラーのほうがむしろましだったのではないか、と。

というのも、ＦＤＲの突然の死去（一九四五年四月十二日）により米大統領に就任したトルーマンに極秘電でソビエトとの協議で決まったドイツの米軍占領地域からの撤兵を見送るよう求めています。そのうえで、「ソビエトは鉄のカーテンを降ろした。その裏側で彼らが何をしているか我々にはわからない」と強く警告しています。

チャーチルは副大統領のトルーマンがＦＤＲ外交の蚊帳の外に置かれてきたこと、またＦＤＲの死後は対ソ宥和外交の継承を主張する勢力（国務省容共派高官）と、それに反対する対ソ警戒勢力がせめぎ合っていることも知っていました。

確かに、トルーマンは第四期のＦＤＲ政権時の副大統領でありながら、外交に一切携わらせてもらっていない。政権が発足してからＦＤＲが死ぬ八十二日間のうち、二人が顔を合わせたのはわずかに二回です。トルーマンはテヘランやヤルタでの秘密合意も知らされていません。

宮崎　チャーチルにしても、ヤルタではＦＤＲとスターリンの蚊帳の外に置かれていた。

渡辺　そうです、チャーチルはＦＤＲのスターリンに対する必要以上に甘い対応にいらだっていました。

ちなみに、「鉄のカーテン」という表現が歴史上初めて使われたのはチャーチルが、トルーマンにこの暗号電を送ったときです。しかし、そのときは、トルーマンのソビエトへの警戒はそれほどでもなく、チャーチルの意見には従わず軍を引き上げてしまいます。

それが、変わったのはスターリンがソビエトと国境を接するイラン北西部アゼルバイジャンに傀儡（かいらい）革命政権を樹立させてからのこと（一九四五年十二月）です。対独戦終了後六カ月以内にソビエト軍は撤兵することが決まっていたのに、スターリンは守らなかった。トルーマンは、「ソビエトはポツダム会談以降面倒ばかり起こしている。（中略）もうやつらのわがままを聞くのに疲れた」とジェイムズ・バーンズ国務長官にこぼしています。

そして翌年（一九四六年）三月四日にはフルトンでチャーチルによる「鉄のカーテン」スピーチが行われました。

宮崎　アゼルバイジャンはいまでは石油リッチ、バクーは摩天楼だらけで、トランプタワーもあるほど発展していますがね。ところでフルトンは米国ミズーリ州でトルーマンの地元ですね。このとき、チャーチルは選挙で敗北して首相ではなかった。

渡辺　小さな会場（ウェストミンスターカレッジの講堂）でやるんですが、チャーチルは目の前の聴衆ではなく、世界に向けて語ったのだと思います。

「バルト海のシュチェチン（現ポーランド）からアドリア海のトリエステ（現イタリア）まで、ヨーロッパ大陸を横切る『鉄のカーテン』がおろされた。中部ヨーロッパおよび東ヨーロッパの歴史ある首都は、すべてその向こうにある」

「西側民主主義国家、とりわけイギリスとアメリカは、際限なく力と思想の拡散を続けるソビエトの動きを抑制しなくてはならない」

私はこれをチャーチル特有のレトリックを弄した体のよい「対ソ敗北宣言」であると書きました（『第二次世界大戦　アメリカの敗北』）。そして、一九四七年に世界的規模での対ソ強硬政策を提唱した「トルーマンドクトリン」（ワシントン上下院に対する特別教書演説）が、トルーマンの「対ソ敗北宣言」です。

ＦＤＲはスターリンを利用したのかそれとも彼に利用されたのか

宮崎　英国はナチスドイツとの戦いで国富の約四分の一を失いました。対外債務は一四〇億ドル。金が流出し、断トツの金保有を誇る米国に基軸通貨の地位を明け渡した。

渡辺　中西輝政（なかにしてるまさ）氏はＦＤＲが先の大戦に参戦したのは、「世界覇権を握るイギリスとその座を狙うドイツを戦わせ、両国を同時に疲弊させたかったのではなかろうか」とおっしゃっていますが、私には、ＦＤＲにそれほどの知恵があったとは思えません。その裏にいた官僚あるいはもっと得体の知れない勢力ならそこまで考えていた可能性はあります。じつは自国通貨を基軸通貨にすることが世界覇権を握ることだとナチスドイツもわかっていました。そう考えると中西先生の解釈のように、ＦＤＲあるいは彼の後ろに控えていた勢力はスターリンに利用されたのではなく、むしろスターリンを積極的に利用したと見ることもできるのです。

宮崎　それは深い読みですね。結果的に戦後の経済体制であるブレトンウッズ体制が構築できたのは、当時アメリカが世界の七割の金を保有していたからですから。

しかし、一番得したのはやはりソビエトですよね。本来はナチスドイツと全面的に対立しなくてはならなかったはずが、東西でソビエトの頭を押さえていた日本とドイツを米英が叩き潰してくれた。これだけでも儲けものなのに、東欧諸国の併合や衛星国化までFDRとチャーチルはスターリンに差し出してくれた。

渡辺　会談時のFDRの病状は相当悪化していました。彼は読書はほとんどせず、真の意味での歴史を学んだこともありません。たまに読む本は戦史モノばかりで歴史書とはいえなかった（ハミルトン・フィッシュ）。マルクスやレーニンの著作も読むことは言うまでもなくなかった。だから共産主義の本当の恐ろしさを知ることもなかったし、共産主義国家ソビエトとの共存も可能であると夢想できた。

宮崎　なるほど、スターリンもこれならすべて騙せると。

全体主義国家との戦いは自由への裏切り

渡辺　国務省のソビエト専門家のジョージ・ケナンは「資本主義国と共産主義国の共存は不可能」であることを見抜き、早い段階からソビエトと国交を結ぶことに反対していました。

「ソビエトロシアの現在の体制は、我々の伝統的システムとは対極にあり、それは変わることのない性格のものである。両システムの中間を行く『中道』を探ったりする妥協はできない。妥協を探る施策、たとえば国交の樹立は、間違いなく不成功となろう。両システムはこの地球に共存できないのである。どちらか一つのやり方にならざるをえない。つまりこれからの二、三〇年の間にロシアが資本主義になるか、我々が共産主義者になるかという選択となる」

宮崎　ケナンといえば有名な意見書、外交史上「長い電文意見書」と呼ばれるものを一九四六年の二月二十二日に出してます。

「これからの我が国の対ソ外交は、長期的視野に立ち、辛抱強くなくてはならないが、ソビエトの拡張的外交に対しては、油断なく断固とした態度で臨まなくてはならない」

「ロシア指導者は（為政者の）心理の機微

ソビエトの危険性を早くから訴えたジョージ・ケナン（1904―2005）

に敏感である。それゆえに短気を起こしたり自制心を失うような態度を見せることは政治的にマイナスであることをよく心得ている。その一方で相手方が弱みを見せればそれに付け込むことは巧みである。したがって、ロシアとの外交を成功させる必須条件は、常にクールな態度をとることであり、彼らに何らかの要求を突きつける場合には、ロシアの威信を傷つけない逃げ道を用意することである」

これがトルーマンドクトリンを支えたのでしょう。

渡辺　フーバーが戦争の回避、他国への不干渉主義を一貫して訴えたのは、全体主義と戦う国そのものも全体主義化せざるをえなくなることを怖れたからです。そうなれば自由への裏切りとなる。結局、参戦したことでアメリカ国民は自由を失ってしまいました。フーバーの書が、「裏切られた自由」とされている意味はそこにあります。

第二章　赤い中国と北朝鮮を作ったアメリカ

蔣介石より毛沢東を支えたアメリカ政権の愚

宮崎　本章では大戦後の世界史を「アメリカ外交」を軸に追っていきたいと思います。

前章で見てきたように、ＦＤＲとチャーチルが起こした世界大戦の結果、スターリンのソビエトは東欧およびアジアの共産圏拡大に大きな足場を得て動きだすのですが、特に現代日本にも大きな影響を与える中国大陸と朝鮮半島の共産主義国家化への過程を追っていきたい。

いまでこそ中国共産党の誕生、南北朝鮮の存在は歴史の必然のように受け取っていますが、当時は思いもよらなかった。可能性のシナリオでは低いところだった。その両国に対して大きな責任のあるアメリカ自体が、一部を除き青天の霹靂（へきれき）だった。そこで有力な手がかりになるのが、渡辺さんが苦労して全訳されたフーバーの回顧録です。

渡辺　フーバーは回顧録の第三部のケーススタディで、ポーランドとドイツとともに中国と朝鮮について詳細に論じています。

まず中国ですが、編者のジョージ・Ｈ・ナッシュはフーバーが中国のケーススタディを書き上げた理由を「アメリカの対中外交の変遷を詳述することで、自由中国が共産主義者の手に落ちていく経緯を明らかにすることであった。同時に自由諸国が中国問題にのめり込んでしまった愚かさを描いたのである」と書いています。

フーバーは自由中国の終わりの始まりを前章で述べたヤルタ会談における秘密協定に見ています。これは蔣介石抜きで、しかも中国の主権を大幅にソ連に譲るかたちでの合意ですが、それを知らされたときの蔣介石の驚きは次のように描写されています。

「（その事実を聞かされた）蔣介石は一分ほど黙りこくった。彼は自分が聞いたことが本当のことなのか、信じられなかったのである。説明を再び聞いた蔣は、実に残念なことだと言った、あるいはそれに似たような言葉を吐いた」

宮崎　だってカイロ会談で決めたことを全部覆しているんですからね。

もっとも、国民党側にも問題があって、一九四四年三月の日本陸軍史上最大の作戦である「第一号作戦」によりまさかの大打撃を受けたからです。ルーズベルトは中国に戦後の東アジアを任せようとして「四人の警察官」（米英中ソの四カ国）に加えた。ところが国民党が敗北して構想が大きく崩れた。当の国民党もアメリカが対日戦争に参入した時点で、毛沢東（もうたくとう）が日本軍と国民党の戦いにより漁夫の利を得ようとしていたことにももっと注意を払うべきだった。日本敗戦を見込んで戦後の共産党との戦いに専念しようとしていたが油断があった。あまりのみじめな負け方にルーズベルトも怒ったでしょう。「中国軍はどこにいるのか、なぜ戦っていないのか」というようなことを言った。

渡辺　国民党は一九三七年の盧溝橋事件以来、日本軍とまがりなりにも七年間戦ってきた。アメリカの期待が高かった分だけ、幻滅も大きかったということもあるかもしれません。

宮崎　客観的に言えば、「闘うフリ」をしてきた。

渡辺　確かに国民党に愚かさがあったとはいえ、中国をむざむざ中国共産党の手中に落とすような政策は間違っていたということでしょう。フーバーは研究者に対しこの問題のポイントを三点挙げてます。

「一、一九四三年十一月のカイロ会談で約束された蔣介石に対する軍事支援、およびテヘラン会談、第二回カイロ会談でなされた約束の裏切り。

二、一九四五年二月のヤルタにおける極東秘密協定によって中国の分裂が進んだこと。

三、我が国政府が、蔣介石に対して毛沢東共産主義政府の代表を国民党政府内閣に入れるよう執拗に要求したこと。それは政治的陰謀を持った我が国の（国務省）高官によってなされたものであり、要求は一九四七年から四八年にかけてもやむことなく続いていた。このころ、中国の自由を守れる人物は蔣介石しかいなかったこと。しかし、（我が国の対中外交の結果）彼の評判は低下し、共産主義への頑なな抵抗もしだいに弱体化したこと」

一と二に関してはルーズベルトの責任ですが、三はトルーマンです。トルーマンは政権に就いた初期はヤルタ密約の存在を知らなかった可能性が高く、容共派でもないので、フーバーの批判のトーンは低い。「トルーマン大統領が引き継いだ官僚たちは、極東秘密合意を何とか隠し続けようとした」と書いています。それでも共産党政権を誕生させた責任はあるとしています。

共産党の正体を見抜いていたウェデマイヤー

渡辺　フーバーは国共統一政府を蔣介石に要求した国務省を批難しています。それに直接的あるいは間接的に関わった人間をリストアップしてもいます（次頁表参照）。

蔣介石に国共統一政府を要求した米政治家と官僚

ルーズベルト大統領
ジョージ・マーシャル将軍
ヘンリー・ウォーレス副大統領
コーデル・ハル国務長官
ディーン・アチソン国務長官
クラレンス・E・ガウス駐中国大使
ジョン・L・スチュワート駐中国大使
ジョセフ・スティルウェル将軍（蔣介石の顧問）
【駐中国】
オーウェン・ラティモア
ジョン・デイヴィス
レイモンド・ルッデン
エドウィン・C・カーター
ジョン・S・サービス
ジョン・エマーソン
ジョン・カーター・ヴィンセント
【ワシントン本省】
E・F・ラーセン
アルジャー・ヒス

戦後トルーマン政権は共産党政権が誕生する直前まで毛沢東を「進歩的な農地改革主義者」だと言って賞賛したり、「毛沢東側の代表を政府内閣に入れるべきだ」と言って蔣介石に圧力をかける一方で、戦後の国共の内戦でしだいに劣勢を強いられる国民党への軍事援助を渋った。さらに蔣介石は邪悪な反動主義者として遠ざけた。

しかし共産党の実態については、蔣介石のほうが理解していた。

「共産党には、日本の敗戦以来予め決められた反政府方針があった。彼らは反乱を起こした地域において、いわゆる『根拠地建設運動』『階級闘争』『清算運動（国賊に仕返しをする闘争）』を発動した。その過程で反乱軍のためと称し糧食や衣類を略奪した。彼らのテロと暴虐は老人、女子供も容赦しないものであった。共産党の支配地域では、若者は共産党に従うか、さもなければ消された。少しでも抵抗のそぶりがあれば生きたまま埋められたり、拷問を受けた。共産党の支配地区から逃亡する者があれば、残った家族が皆殺しとなった。どれだけの数の同胞が共産主義者の犠牲になったかわからない。（このような）共産主義者が我が政府の方針に常に反対し、人民を脅かしてきたのだ」（蔣介石のラジオ演説）

宮崎　日本軍が国民党軍を徹底的に叩いたことに加え、戦後共産党が急激に勢力を伸ばしたのは、ソビエトの援助があったからです。国民党政府とソビエトは中立条約（中ソ友好同盟条約）を結んでいたにもかかわらずソ連は毛沢東の共産党への援助を続けていた。しかもその中立条約はアメリカが一方的に蔣介石に呑ませたものでしょう。

また、日本軍が引き揚げたあとの満洲を占領したのはソ連軍です。クレムリンは、国民党政府が満洲に入ることを拒み、降伏した日本軍の武器・弾薬や重工業施設を解体した設備を中国共産党に流した。これが大きい。国共内戦の趨勢（すうせい）を決めるポイントは満洲にあったといっても過言ではなかった。

スターリンはこれに加えて、対独戦を終えて不要になった米国製の武器も毛沢東に与えています。

渡辺　もっとも、米国内でも、ソビエトと中国共産党を正しく認識していた人たちもいました。

たとえば、陸軍省（軍事情報部）の「中国共産主義者の動向」報告書（一九四五年七月五日）には、

「一、中国共産党の主張する〝民主主義〟とはソビエト型民主主義である。
二、中国の共産主義者の動向は、モスクワに操られたコミンテルンの動きの一部である。
三、ソビエトは満洲、朝鮮、そしておそらく華北においてもソビエトの支配下にある政権の樹立を画策していると信じるに足る理由がある。
四、中国は資源の豊富な満洲および中国北部なしでは強国にはなれない」

報告書はさらに踏み込んで、「〝連合政府〟を共産主義者が後援している」と正確に指摘しています。

「共産主義者は国民大会をボイコットし、政党間（共産党・国民党）の問題は唯一、連合政府で解決できると主張している」
「仮に連合政府ができても、共産主義者の管轄の範囲を彼らの支配地域に限定しなければ、政府全体が共産主義者の利益に奉仕することになる」

当時の中国国内のダイナミズムを正しく分析していた代表的人物にアルバート・ウェデマイヤー将軍がいます。
ウェデマイヤーはマーシャルから中国および朝鮮についての将来の外交方針を決めるために現地調査を命じられ、約二カ月にわたる調査の結果を報告しております（「ウェデマイヤー報告書」一九四七年九月十九日）。

「自由を希求する（中国）国民の高邁（こうまい）な理想は、いま共産主義者によって危機にさらされている。彼らの邪悪なやり方は、第二次大戦に至るヨーロッパやアジアでの一〇年間の動きに似ている。おなじみのパターンである。破壊分子を使い、（敵）組織に侵入し、秩序を破壊し混沌状態を作り出す。正常に機能している経済を破壊することによって政府や指導者への信頼を低下させる。そのうえで国民の意思とは無関係な形で権力を奪取する。彼らのやり口は見事なほどに計算されたもので、情け容赦なく実行され、全体主義思想が徹底される」

「現状の戦況は、共産主義者が戦術上のイニシアティブを握っている。満洲における国民党の立場は危うい。山東省、河北省では激しい戦闘が起きている。このまま事態が推移すれば満洲にはソビエトの衛星国ができあがるだろうし、最終的には共産主義者が支配する中国になってしまうだろう」

「ソビエトの極東における狙いは、我が国の国益と真っ向から対立するものであり、これを毀損(きそん)するものでもある。彼らは、ソビエト支配を徐々に強め、圧倒的な影響力を発揮しようとしている。時間は彼らに味方している。彼らの目指すところが実現すれば、我が国の安全保障上の大きな脅威となる。中国共産党がその手先となっている。中国共産党の行動とプロパガンダ活動は、ソビエトの外交方針に合致したものである」

（特別報告書）

このような的確な報告書であったにもかかわらず、ウェデマイヤー報告書はこの後二年間にわたって封印されました。

彼はのちに次のように述べています。

「その後私の意見は一度も聞かれなかった。私の報告書が検討されることもなかった。共産主義者によって中国を失うことが避けられない状況になってようやく上院委員会の調査官らが私の報告書を『発掘』してくれたのである」

世界の三分の一が共産主義国家に

渡辺　蔣介石のトルーマンへの再三にわたる軍事援助の要望の声もむなしく、一九四九年六月三十日、共産党の勝利を確信した毛沢東はラジオで次のような声明を声高に発表します。独裁者の本性がよく表れている。

「国際上、我々は反帝国主義者側に立ち、ソビエトに指導されている。我々が唯一求め得るのは反帝国主義者側からの真に友好的な支援であり、帝国主義者からのそれではない」

「『おまえたちは独裁者だ』。紳士諸君、まさにそのとおりである。我々はこれまでもずっとそうだった。これまでの数十年にわたって積み上げられた経験は、人民による民主的独裁を進めなくてはならないことを教えている。反動的な意見は決して許されない。意見の表明は人民のみに許される。

「民主制なるものは人民の内にあるものであって、彼らにだけ言論の自由、結社の自由が許される。選挙権も同様に、行使できるのは人民だけであって、反動勢力には許されない。つまり、人民にだけ許された民主主義と、反動を抑え込む独裁。これが人民独裁となるのである」

「我々がいまなすべきことは、強力な人民の国家装置の強化である。それは主に人民軍、人民警察、人民裁判所を指し、国家と人民の利益を防衛することにつながる。労働者階級と共産党の指導によって、我が国は農業国から工業国に変貌する。民主主義ではなく社会主義・共産主義国家に向かうのである。そうすることによって階級をなくし、世界に共産主義を実現する。国家の軍隊、警察、裁判所は階級が階級を抑圧するための道具である。敵対階級に対しては、国家の装置が抑圧の道具である。それは暴力であり、『慈悲深いもの』ではない。『おまえたちは無慈悲だ』。そのとおりである。我々は、反動活動、反動分子、反動階級に対しては慈悲深い規律を採用することはない」

いうまでもなくここでいう「人民」とは日本でいうところの「国民」でも「市民」でも

ありません。「共産党」と置き換えればこの宣言の趣旨がより鮮明になるでしょう。

宮崎　はたしてその結果、世界の三分の一が共産主義国家になった。

渡辺　しかしそれはアメリカしだいで防ぐことが可能だったのです。

前述のウェデマイヤーは毛沢東の勝利が確実になったあとで、アメリカは国民党政権を維持するために中国への派兵以外にできることは何でもしたという理解で正しいかという質問に対し、「間違っている」と断言し次のように語っています。

「我々は可能であった支援を実施していません。特に欠けていたのは道義的な支援です……。

私の考えでは、それが物質的な支援以上の価値を持っていました。中国の人々は、長年の友人であったアメリカが、蔣介石に対して十分な支援を行ったとは感じていないでしょう。

……経済顧問や軍事顧問とともに我々があちらに出かけていき、限定的な装備を上手に使っていれば、我々は共産主義の拡大を防げたはずなのです」

中華人民共和国成立を宣言する毛沢東（1949年）

宮崎　しかし、何よりも毛沢東と蔣介石のどちらが敵か味方かも判断できなかったトルーマンが無能だったということなのでしょう。もっとも残忍さということであれば毛沢東も蔣介石も一卵性双生児です。

朝鮮戦争の引き金を引いたアメリカ

宮崎　アメリカという国は「敵と味方を間違える名人」です。朝鮮戦争でも引き金を引く間違いを犯したのはやはりアメリカです。まず一九五〇年一月五日に、トルーマンは「中国が台湾に侵攻しても、アメリカ政府は関与しない」と表明したかと思うと、翌週の一月十二日に国務長官だったアチソンはいわゆる「アチソン・ライン」演説をして「アメリカの極東防衛ラインをアリューシャン列島から日本列島、琉球諸島、さらにフィリピン諸島」として、韓国と台湾をそのラインから外しました。

これは決定的な政策の錯誤（確信犯という説もある）です。

アチソン演説に驚いたアメリカ共和党は「金日成（キムイルソン）に朝鮮戦争開始の青信号を出した」と猛烈に批判しましたが、実際そのとおりになった。

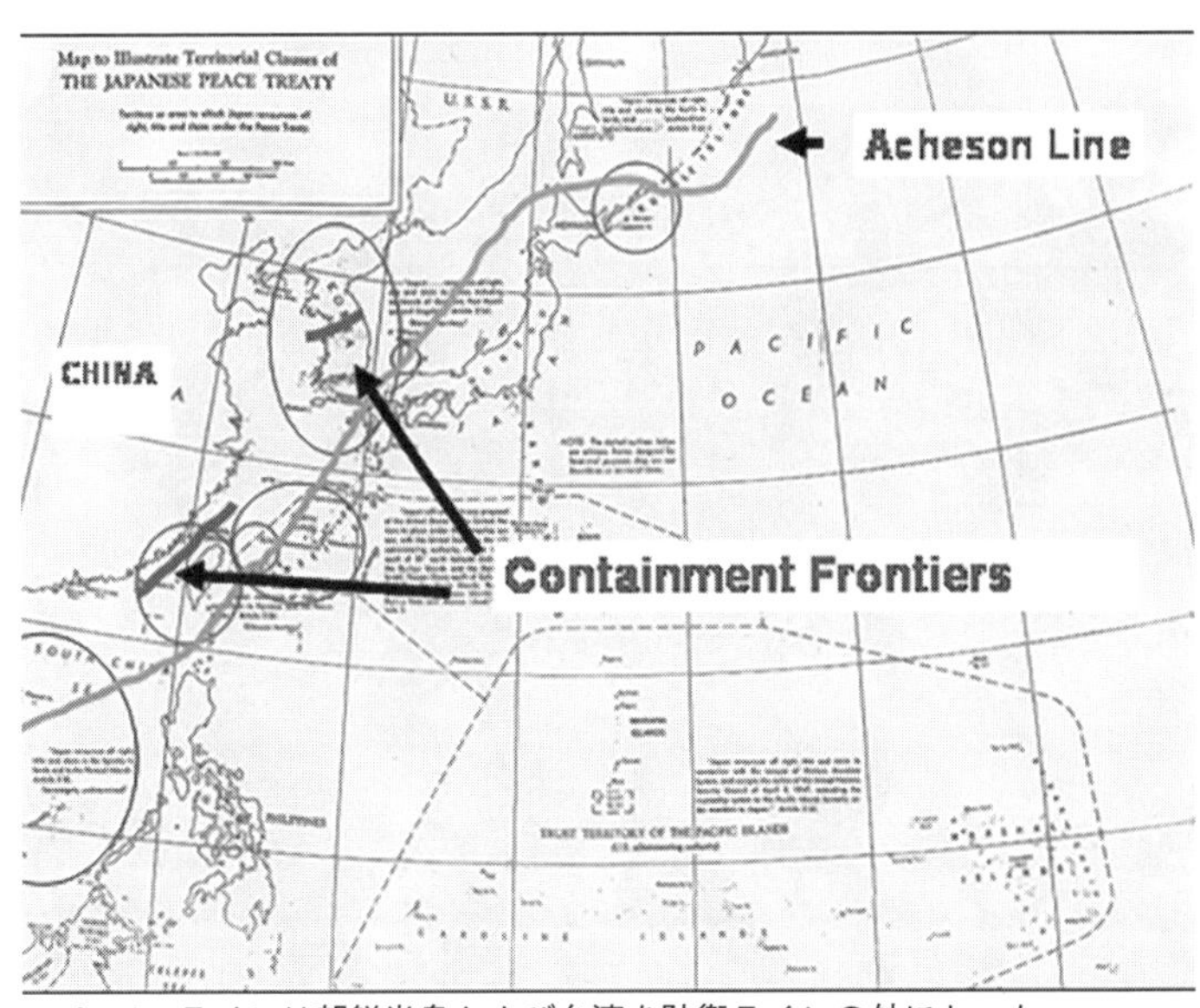

アチソン・ラインは朝鮮半島および台湾を防衛ラインの外においた

渡辺　アチソンはソビエトのスパイではありませんが、先ほどのフーバーが挙げたリストにも載っているように、容共的な高官で、対中国、対朝鮮でも誤った政策をとっています。

その一方で、半島情勢を正確に分析していたのは、やはりウェデマイヤーです。

「朝鮮に対する軍事支援は南朝鮮、そして将来的には朝鮮全土が、軍国主義的な共産主義の拡大を防止できるようにするために実施されなくてはならない。

ソビエトが撤兵する可能性は高く、そうなれば我が軍も撤兵する。

したがって北の朝鮮人民軍は、南朝鮮に対する軍事的な脅威となる可能性を秘めている。

おそらく、彼らが撤兵を決めるのは、彼らが創り出した北朝鮮の傀儡政権とその軍隊が十分に強力なものとなり、ソビエト軍が存在しなくてもソビエトの外交目的を推進できると判断したときになろう。

（現状では）アメリカ軍が南朝鮮から撤退すれば、ソビエト軍あるいはソビエトに訓練され支援を受ける北朝鮮の朝鮮人によって構成される軍が、南朝鮮を占領するであろう。日本への影響も計り知れず、日本に共産主義者の工作員が（大量に）流入するのを許すことになる。そうなれば、アジアにおけるソビエトの威信は格段に高まる。こうした状況は、とりわけソビエトに隣接する地域に重大な影響を及ぼすことになろう。その結果、ソビエト周辺の国々の共産化はますます進むであろう」

（「ウェデマイヤー報告書」一九四七年九月十九日）

しかし、国務省のオーウェン・ラティモアはまったく別のことを考えていました。

「なすべきことは、韓国を崩壊させることである。ただし、我々がそれを後押ししたよ

うに見られてはならない」（一九四九年七月十七日）

のちに共産主義勢力を米国内から排除しようとしたジョセフ・マッカーシー上院議員は、ラティモアはソビエトのスパイであったと断言しています（一九五〇年）。

国連および国連軍の実態

宮崎　ウェデマイヤー回想録は『第二次大戦に勝者なし』（上下二巻）として講談社学術文庫入りしていますが、現在絶版ですね。ところで、当時北朝鮮や中国軍と戦っていたのは「国連軍」ということになっていたけど、実質米軍でしょう。

渡辺　朝鮮戦争の国連軍司令官で後にダグラス・マッカーサーの後任で極東軍司令官になるマーク・クラーク将軍は、朝鮮における国連軍の模様を自著（『From the Danube to the Yalu』のなかで次のように書いています。

「当時の最悪の侵略国はソビエトであるが、ソビエトはアメリカ以外の国連加盟国の朝鮮（戦争）への派兵決定をたいしたことではないと感じていたと思う。

重慶を訪れたウェデマイヤー（1944年10月）

下品な表現で言えば、そうした国々の数字上の貢献は「小便（piddling）」のようなものと思っていたろう。国連加盟国五三カ国のうち、陸軍、空軍あるいは海軍の戦闘部隊を提供したのは、アメリカを除けばわずか一五カ国に過ぎない。

私は比べて考えてみないではいられなかった。偉大な国連機構には大勢の人々がいる。本部はニューヨークの素晴らしい一角に居を据えている。数多くの会議が開かれ、たくさんの議案が検討される。……この壮大な光景に対して、侵略を止めるための自由世界の決定が初めて試されるにあたって、これらの人々がなした貢献はじつにちっぽけなものに見えたのである」

宮崎　しかも一九五〇年十月二十六日に中国軍が参戦してから有利だった戦況が一変しま

す。無能なのか確信犯なのかはおくとして、中国政府の「戦いに投じた兵士は志願兵」だという詭弁を真に受けて、トルーマン大統領はいかなることがあっても、この戦いを中国本土に拡大させないと余計な発表をしました。マッカーサーは中国軍が渡河する鴨緑江(おうりょっこう)の橋を爆破することも、彼らの航空機がやってくる基地の爆撃も禁じられ、ようするに手足を封じられたなかで戦わねばなりませんでした。倒しても倒しても怒濤(どとう)のごとく押し寄せる中国軍兵士に米軍はパニックに陥った。鴨緑江には、当時の橋梁(きょうりょう)の残骸(ざんがい)が残っていて、観光名所化してます。

渡辺　マッカーサーは「まったく新しい（性質の）戦い」が始まったと声明を出していま す。

フーバーは、「韓国を侵略から救うことを考えていた国際連合も、文民指導者も混乱しており、どの国も共産中国とのアリ地獄のような全面戦争に引きずり込まれたくはなかった。加盟国は何度も会議を繰り返し、組織の面子(メンツ)を保とうとする一方で、現実の共産主義者の攻撃に目をつぶりたかった。それはあたかも国連という組織をバラバラにしそうだった」と言っています。

前述のクラーク将軍も、

「中国が軍をただちに撤退しなければ赤い中国（Red China）との本格的な戦いも辞さずという意思をなぜ世界に向かって示さなかったか。私にはまったく理解できなかった。おそらくマッカーサー将軍の気持ちも同じであったろう。そうすれば、彼らの重要拠点はどこであれ空から激しい攻撃を仕掛けることができた。中国兵が、本格的な戦争を進め、アメリカの若き兵士を組織だって殺しているのである。それにもかかわらず、彼らを守るために戦力を思うままに使えないのである。こんな状況をそのままにしておくことが私には理解できなかった」（クラーク前掲書）

無益だった朝鮮戦争

宮崎　このとき、台湾の蔣介石の国民党軍を参戦させる話もあった。マッカーサーも蔣介石の軍が来てくれれば有難いと考えた。しかしホワイトハウスは無視した。結局マッカーサーはトルーマンに解任されました。

渡辺　アメリカのアジアにおける立場についての見解を求められてマッカーサーは次のように回答しています（一九五一年三月八日）。

「共産主義者の陰謀家たちは、このアジアを地球規模の征服のための重要な舞台として選びました。我々の戦場での戦いはこの問題との戦いです。言ってみれば、ヨーロッパの戦いがこの地で行われていると言えます。その戦いを我々は現実に武器を取って戦い、一方外交官たちはなおも言葉で戦うばかりです。もしアジアでの戦いに敗れるようなことがあれば、ヨーロッパ方面の戦いの敗北も必至です。（朝鮮での）戦いに勝てばヨーロッパでの新たな戦いを避けることができます。そして自由を維持できるのです。不思議なことに、一部の人々にはこうしたことが理解しがたいようです」

周知のように朝鮮戦争は休戦協定以来、自ら「核保有国」を宣言し世界を恫喝（どうかつ）する金正恩（キムジョンウン）の北朝鮮の存在をいまに至るまで許しています。休戦協定に調印した（一九五三年七月二十七日）のはアイゼンハワー大統領（一九五二年に当選）です。この休戦についてクラーク将軍は次のように書いています。

「休戦協定がなり、私はそれに署名した。どれほど重苦しい気持ちで調印したかを記しておかなければ嘘になろう。確かに、少なくとも当面は戦闘行為が終わりになることは喜ばしいことだった。しかし、いつかより多くの我が国兵士の血が流される日が来るのではないかとの強い不安に駆られた。朝鮮の共産主義者を（いま）射ち倒すという決断のほうが（将来の）代償は少ないのではないかと思ったのである」

残念ながらクラークの不安は的中してしまいました。

またフーバーは、この朝鮮戦争をアメリカ兵三万三六二九人が命を落とし、一〇万三三〇八人が負傷し、戦費は一八〇億ドルにも登り、我が国の国家負債を増やしただけの、無益な戦いだったとして、次のように総括しています。

「一、韓国の独立はアメリカによってなされ、アメリカの軍事支援によって維持されている。

二、朝鮮人には独立を維持する能力がない。

三、大きな紛争の場合、それに対処する軍事力を国連が集めることは、儚（はかな）い夢のようなものである。

四、国連は、小国間の紛争では平和を護れるかもしれない」

日本の朝鮮統治を高く評価していたフーバー

渡辺　ところで、フーバーは日本の朝鮮統治を高く評価しています。フーバーが朝鮮を訪れたのは一九〇九年で、日本の資本家の依頼で、技術者として助言するためでした。

「日本の支配による三五年間で、朝鮮の生活は革命的に改善した（revolutionized）。日本はまず最も重要な、秩序を持ち込んだ。港湾施設、鉄道、通信施設、公共施設、そして民家も改良された。衛生状況もよくなり、農業もよりよい耕作方法が導入された。北部朝鮮には大型の肥料工場（朝鮮窒素肥料）が建設され、その結果、人々の食糧事情はそれなりのレベルに到達した。日本は、禿げ山に植林した。教育を一般に広げ、国民の技能を上げた。汚れた衣服はしだいに明るい色の清潔なものに替わっていった。

朝鮮人は、日本人に比較すれば、管理能力や経営の能力は劣っていた。このことが理由か、あるいはもっと別な理由があったのか確かではないが、経済や政治の上級ポストは日本人が占めた。一九四八年、ようやく自治政府ができた。しかし朝鮮人はその準備がほとんどできていなかった」

その日本をルーズベルトとトルーマンは叩き潰したわけです。その結果が朝鮮の南北分断です。

宮崎　毛沢東が中国で政権を奪えた理由は日本軍のお陰だという発言を繰り返している し、蔣介石も国民党政府は日本軍と中共軍とに挟み撃ちにされたとその証言を裏付けているように、かくも日本の力は大陸で大きかった。皮肉なことですが、その日本を軍事的に叩き潰し、占領政策で精神まで骨抜きにしておきながら、再び東アジアにおける反共産主義の橋頭堡を担わせるべく、日本復興に政策転換をせざるをえなくなったアメリカも皮肉です。

渡辺　蔣介石は対日外交を完全に間違えましたね。盧溝橋事件前までの日本外交はなんとか彼と折り合いをつけようとする対中宥和外交だった。「日本政府のその思いは真摯なものである」と在中国の米英外交官は本省に報告している。一方で、ソビエト共産党細胞の日中対立を煽る工作に注意すべきとも書いています。蔣介石には「満洲国を認め、日本と協力して中国共産党を叩く」という選択肢が何度もあった。そうしていれば、満洲国と中華民国が繁栄しながら幸せに共存するいまがあったかもしれない。

そうなっては困ることがわかっていたからこそソビエトは蔣介石を誘拐監禁（西安事

件：一九三六年十二月）し、日本との妥協をしないと約束させた。当時のソビエトの工作は目を見張るものがあります。

国連信仰の崩壊

宮崎　さて国連についての話に戻しますが、日本人はフーバーのような見方は全然してないでしょう。これも考えたら不思議で、ほとんど「国連信仰」といっていいようなものが、戦後の日本にはある。

「United Nations」のNationsというのは戦勝国という意味で、敵国条項が入っているにもかかわらず、敗戦国の日本もドイツも加盟しているという非常に不思議な組織です。NYに行くごとに国連ビルを遠望してますけれど……。

渡辺　ソビエトのスパイだったアルジャー・ヒスが国連創設のキーパーソンだったという事実が、国連を象徴しています。

彼らは、国連を世界政府という社会主義政策の完成形のような組織にしたかった。先進国から後進国への富の移動を促すメカニズムを構築したわけで、はっきりといえば、アメリカの富を分散させることにより国力を弱める狙いがあった。

日本では、そうしたソビエトの思惑を知らずに、あたかも国連が国家の上位にある理想的な世界政府を実現して平和を維持していると初心に受け取っているから信仰になってしまっているのでしょう。一種の思考停止です。

実際、国連やその関連組織に働く職員は、「意識高い系リベラル」です。雅子皇后が東京にある国連大学でよく勉強されていたと仄聞していますが、心配です。国連大学は日本の外務省の肝いりで東京に創設された組織ですが、私にはその正体がよくわかりません。

宮崎　渋谷にある国連大学の前を週に一度くらいは通りますが、授業が行われている風景はありません。あそこは旧都電の車庫跡でした。

それはともかく、日本人にとって平和憲法もまたしかりで、信仰です。しかし、現実的には国連が果たしている役割は、フーバーのいうとおり、せいぜい小国間の紛争の調停くらいなものでしょう。また弊害も多い。現にドナルド・トランプ大統領のように解散してしまえという声も大きくなっています。彼は、国連が米民主党的メンタリティの過激リベラル官僚に占拠されているのを知っている。彼の主張する「アメリカファースト」は言い換えれば「国連セカンド」ということですよ。

ようするに国連的世界秩序が節目を迎えているということなのです。

第三章

冷戦後の災いを巻き起こした ネオコン＝干渉主義者

冷戦後の世界史を動かしたネオコンの正体

宮崎　引き続き、「アメリカ外交」を軸に、東西冷戦後の世界史を眺めていきましょう。

東西冷戦終結までの歴史をざっと振り返ると、そもそも戦後の東西冷戦は、ルーズベルトの失策がもたらした。それは、大統領就任直後にソビエトを国家承認した（一九三三年十一月）ときから始まっています。ルーズベルト政権はソ連のスパイと共産主義者に囲まれて国策を次々とあやまり、超大国ソビエトを生んでしまった。世界革命を志向するソビエトに大胆に挑戦したのが、ニクソン政権（一九六九〜七四年）であり、レーガン政権（一九八一〜八九年）だった。

特にレーガン大統領は、スターウォーズ計画、ミサイル防衛網を前面に出して、ソ連と対峙（たいじ）姿勢を示し、対抗策としてソ連は大軍拡に走るものの、経済力がついてこられず、あえなく頓挫（とんざ）。ペレストロイカ、グラスノスチを謳（うた）ったゴルバチョフが登場した。

一九八九年師走、ブッシュ大統領とゴルバチョフはマルタの沖合のヨットで会談し、東西冷戦が終結しました。

ブッシュとゴルバチョフが握手をして、これでアメリカの一極自由主義体制で「歴史の終わり」が来るという面白い本を書いた人がいますが、おっちょこちょいもいいところ、いまこれが完全に狂っちゃった。

渡辺　『アメリカ民主党の崩壊２０１０―２０２０』（ＰＨＰ研究所）でも書きましたが、冷戦後の世界史を動かしたのは、アメリカのネオコン＝ネオコンサーバティブ（新保守主義）だったと言い切ってよいと思います。彼らには世界を啓蒙（けいもう）する義務があるという思い上がりがあります。この思想は「アメリカ例外主義」と定義されています。世界の啓蒙を神から命じられたと信じているだけにたちが悪い。極めて干渉主義的であり、結果的に多くの戦争を惹起（じゃっき）してきました。この思想が「国際主義」と呼ばれ美しい響きを持つ一方で、「非干渉主義」は「孤立主義」と言い換えられ、あたかも一国中心主義の利己的な思想だと非難される。

ネオコン勢力台頭のポイントは、一九九三年だったと考えてよいでしょう。ビル・クリントンが大統領に就任した年ですが、以来、アメリカ政治はネオコンが動かす「民主党政治」に支配されてきたと言っていい。そしてヒラリー・クリントンがファースト・レディーになることによってその勢いに拍車がかかった。実際、彼女はネオコン思想の持ち主を高官にどんどん起用した。ヒラリーをネオコンとする事情通はあまりいないようですが、ネオコン官僚を重用したのですから、私はネオコンと分類すべきだと思っています。ヒラリーの登場でネオコンは米国外交のセンターステージに躍り出たのです。そしていまトランプ大統領の登場で米外交の中枢から放逐され逼塞(ひっそく)している。そのことはあとで詳しく述べたいと思います。

宮崎　二〇〇一年から〇九年まではジョージ・ブッシュ政権で共和党ですが、政権中枢をネオコンが牛耳っていたので、実質ネオコン外交が継続していたというのが渡辺さんの見立てですね。

渡辺　そうです。そこで、ネオコンとは何かですが、その始祖はヘンリー・ジャクソン上院議員（一九一二〜八三）、あるいはジーン・カークパトリック元国連大使（一九二六〜二〇〇六）で、やはり両者とも民主党です。その主張は六つありますが、ネオコンの特徴をよく表しています。

第一に「徹底的に反ソ」、トルーマンドクトリンを踏襲し、実際にソ連を潰しています（一九九一年）。第二に小国の政権を強引にでもレジーム・チェンジすることで、親米化させ傀儡政権化させる。これは東欧のカラー革命やアラブの春を想起すればいいでしょう。第三に先制攻撃は許される。第四に経済リベラリズム、つまり自由貿易推進で、トランプは保護貿易を唱えこれに真っ向からぶつかっています。第五にリベラル的社会政策の推進。アファーマティブ・アクションなどアイデンティティ・リベラリズム（ＩＬ：Identity

Liberalism）やポリティカル・コレクトネス（政治的正しさ）は相当に進んでしまった。最後の六番目ですが徹底的な親イスラエルがあります。トランプ政権登場前のアメリカ外交は忠実にこれを実行しています。

宮崎　カーク・パトリックはレーガンが最初に抜擢したのです。私もかつて『ネオコンの標的』（二見書房）で、ネオコンを定義したことがあります。「元トロッキスト、転向組、ユダヤ人が多い」というものですが、渡辺さんの定義に比べると狭義の解釈です。渡辺さんのいうネオコンはどちらかといえば、馬渕睦夫（まぶちむつお）大使や藤井厳喜（ふじいげんき）氏のいう「ディープ・ステート（闇の政府）」に近いと思います。

ですから、ネオコンといえばクリストル親子やロバート・ケーガン（その夫人がウクライナ民主化で暗躍したビクトリア・ヌーランド）、リチャード・パールらを指し、渡辺さんのように保守本流にいたディック・チェイニーや、ジョン・ボルトンは含めませんでした。

渡辺　結局、いまのディープ・ステートもネオコン思想に染まっているから重なります。ボルトンにしても、いったんはトランプ政権に登用されたけれどもネオコン的な発想が捨てきれないため、トランプに外されたのではないかと、私は見ています。

宮崎　ディープ・ステートはこれまでのアメリカ政治でも公式に語られたことはなかった。このタブーを破ったのはトランプでした。

「独裁者」と報じる一方で「善政」は無視

渡辺　一九九三年にネオコンのポール・ウォルフォウィッツ（ジョージ・ブッシュ政権：国防副長官、一九四三〜）とルイス・リビー（同：副大統領首席補佐官、一九五〇〜）が当時国防長官だったディック・チェイニー（一九四一〜）に提出したレポートがあります。ソビエト崩壊後のアメリカ外交の指針となるものです。彼らは三つの目標をかかげました。

第一に、二度とアメリカのライバルとなる国を生まない、地域覇権国さえ許さない。第二に世界各地のアメリカ利権の保全およびアメリカ的価値観（西洋的民主主義思想）の普及（強制）。第三は第二と矛盾するのですが、そのためには手段は問わない、というものです。

つまり、「世界の新秩序はアメリカ（の価値観と軍事力）によって維持されるべきである。国際的に足並みをそろえた対応ができない場合は単独行動も辞さない。危機に対しては、躊躇（ちゅうちょ）なく反応（軍事力行使）すべきである」（ＰＢＳ〔米国公共放送〕）という恐ろしいほど独善的で強硬な内容です。

この指針はウォルフォウィッツの名をとって「ウォルフォウィッツ・ドクトリン」と呼

ばれています。

宮崎　先ほども話題になった「マニフェスト・ディスティニー（明白な宿命）」の典型ですね。「アメリカは神から野蛮国を啓蒙する義務を与えられた特別な国である」（例外主義）という狂信に突き動かされている。国家にはそれぞれ固有の歴史・文化・伝統があるということをうれっきとした事実を一切省みないでしょう。だから東欧のカラー革命にしてもアラブの春にしてもレジーム・チェンジを仕掛けられた国はその後、かえって混乱が増して収拾がつかなくなっている。特にリビアとイラクがそうだし、シリアもアサド政権が踏ん張ってますが内戦状態でそこにロシアが加わっています（第五章参照）。

渡辺　イラクのサダム・フセインもリビアのムアンマル・カダフィも確かに「独裁者」ではありますが、その一方で「善政」を施しています。メディアは一切報じませんけど。

宮崎　サダム・フセインとカダフィを近代化をなした政治家だったと評価しているのは高山正之さんです。

渡辺　たとえば、「確かにフセインは、非常な独裁者だった。しかし一方で、キリスト教徒が安全に暮らせる国はイラクと、シリアの二カ国だけだった。両国の指導者は非情ではあったが、世俗的でもあった（イスラム教ドグマから一定の距離を置きキリスト教徒を迫害しなかった）。アメリカは、フセインを排除するのではなく、より危険な敵であるアルカイダとの戦いに彼を利用すべきだった」（インド系歴史家サスミット・クマール）という意見もあるのです。

ネオコンは以下のようなカダフィ大佐が施した善政にも目を向けることはありませんでした。

一　教育、医療費の無料化
二　新婚家庭への五万ドル贈与（持ち家促進政策）
三　世界最大級の灌漑（かんがい）システム工事の実施（巨大な地下水源を利用したもの、日本のエンジニアリング大手である日本工営参加）
四　政府負債なし
五　安価なガゾリン価格（二〇一一年時点）：リッター当たり一四セント（米ドル換算）
六「持ち家を持つことは国民の権利」政策
七　女性の働く場所、服装制限の撤廃
八　十分な食料確保　平均摂取カロリー：三一四四（世界食料農業機関ＦＡＯ調べ）

退役したウェズリー・クラーク将軍によるとウォルフォウィッツら国防総省に陣取ったネオコン官僚は、五年でイラク、シリア、リビア、レバノン、ソマリア、イラン、スーダンと七つの国のレジーム・チェンジを計画していたと証言しました（二〇〇七年十月）。彼がこの方針を聞かされたのは一九九一年一月のことです。

宮崎　そこにアラブの春が真っ先に起きたチュニジアとエジプトはなぜか入っていない。

渡辺　おそらくリビアのカダフィ潰しの前段階だったのでしょう。両国はリビアの隣国という地理関係にもあります。

次章で詳しく論じたいと思いますが、カダフィは、石油の決済通貨はドルで行うというアメリカが築き上げたペトロダラーシステムに歯向かい、リビアの通貨であるゴールド・ディナールにすることを提唱しました。この構想にチュニジアのベン・アリ大統領とエジプトのホスニー・ムバラク大統領も賛意を示していたといいますから両国はネオコンに睨（にら）まれていたことは間違いない。ゴールド・ディナールは金との兌換を保証した通貨ですからフィアットマネー（不換紙幣）に過ぎないドルに比べて圧倒的な信用力を持ちます。

宮崎　さもありなんですね。その結果、チュニジアが大混乱に陥り、エジプトは軍事政権に戻った。

戦争と外交は「商売」

宮崎　渡辺さんのご著書はことごとく拝読しております、近著『アメリカ民主党の崩壊2

010―2020』は、クリントン、ブッシュ・ジュニア、オバマ三代の政権を支配したのはネオコンだという図式で描いた民主党政治の直近史なのですが、それにとどまらず、ネオコンというのは、ウッドロー・ウィルソンやFDRのような「干渉主義者」の系譜にあるという見取り図を展開しています。そして、フーバーのように「不干渉主義」を唱えて反ネオコン（アンチ）として登場した大統領がトランプだと。そういう大きな歴史的図式を同書のなかで描かれている。

渡辺　ネオコン＝民主党が問題なのは「干渉主義者」の系譜であることに加えて、「人種差別政党」だったのが戦後になって「弱者のための政党」に擬態したという特徴があります。そのため真の民主党像がとらえにくくなりました。

まず、前者について論じていきたいと思いますが、他国に干渉することにより、戦争が起こると必ず「戦争利得者」が生まれるんですね。戦争は「商売」になる。たとえば第一次世界大戦のような総力戦では、英国の軍需品買い付けを一手に任されたモルガン商会が巨利を得ています。それが戦後バレたからこそ、中立法が制定され、交戦国への軍需品の輸出を禁じました。それをなし崩しにしたのがFDRでした。

第二次大戦後の戦争では戦勝国が敗戦国の面倒を見なければならない状況が生まれ、破壊した国の復興事業、インフラ再建整備事業や駐留軍の維持、セキュリティー対策などで企業が儲かるようになりました。

たとえば、アメリカはイラク再建に一〇年間に総額一三八〇億ドル（およそ一四兆円）投じたと報じられました（「フィナンシャル・タイムス」二〇一三年三月十八日）。総合エンジニアリングのKBR社は国防総省との随意契約によって、軍の衣食住など四〇〇億ドルもの契約を結んでいた。のちにKBR社は国防総省に対する過大請求、イラク国内でのキックバック、米連邦政府職員買収などの不法行為で訴えられることになるのですが、それよりも新たに疑惑として浮上したのが、同社の親会社であるハリバートン社とチェイニー副大統領の関係です。

チェイニーは同社のCEOを一九九五年から二〇〇〇年まで務めており、彼が政府要職に就いて以来、海外事業をハリバートン社に発注しています。チェイニーがどれだけ貢献したかは、二〇〇〇年の年収が二〇〇〇万ドル、退任時報奨金が六二〇〇万ドル（ストックオプション等含める）という莫大なものであることからも窺えます。しかも彼は二〇〇三年九月にハリバートン社との関係は完全に切れていると証言しながら、退職慰労金を継続的に受領していることがバレています。面白いのはアメリカのコーネル大学がチェイニーとハリバートン社の関係について詳しく研究している。ネオコンの悪行が学問の対象になっています。

宮崎　外交を食い物にした。クリントン財団だって真っ黒でしょう。

渡辺　クリントン財団（一九九七年設立）は表向きは国際慈善事業を促進するための寄付を募っていますが、実態は外国企業や要人に便宜を図ったり、開発途上国の資源開発をアメリカ企業が受注できるよう口利きしたり、アメリカ外交を「迂回買収」させるスキームで巨額の寄付を得ています。

たとえば、アフリカのコンゴ民主共和国における鉱山開発、イランでの通信インフラ、コロンビアでの熱帯雨林開発、カザフスタンでのウラン採掘事業など。調査ジャーナリストのピーター・シュワイザーが『クリントン・キャッシュ』という本のなかで詳細にクリントン夫妻の「悪事」を暴露しています（詳しくは『アメリカ民主党の崩壊2010―2020』参照のこと）。たとえば、二〇一四年度の数字は収入総額一億七七八〇万ドルに対し、チャリティー事業に支出されたのはたったの五一六万ドルというアンバランスなものです。しかしそうした事実を日本のメディアはもちろんアメリカのメディアも一切報じません。

バイデンと中国

宮崎　これは以前にも書いたことですが、有力な民主党の大統領候補だったジョー・バイデンと中国ロビィとの結び付きは、じつに怪しい。だいたいオバマ政権はズブズブのパンダハガー（親中派）が多かった。当時副大統領だったバイデンもヒラリーも、ヒラリーの後釜になったジョン・ケリー国務長官も、中国利権には目がなかった。

二〇〇九年にジョン・ケリーが国務長官に就くと、バイデン副大統領の息子のハンターとケリーの義理の息子クリストファー・ハインツが「ローズモント・セネカ・パートナーズ」なる面妖（めんよう）なファンドを設立します。そして二〇一三年にはそのファンドと「渤海（ぼっかい）ハーベスト」が合弁の「ＢＨＲパートナーズ（渤海華美〔上海〕股権投資基金管理有限公司）」を設立した。資本金は四〇〇〇万ドル。このうち四二万ドルをハンター・バイデンが出資しました。

しかし話はそれだけではありません。

二〇一五年、中国国有企業のＡＶＩＣ（中国航空工業集団）が米国ミシガン州にあったヘンニゲス・オートモーティブ・ホールディングス買収の推進役となり、結果、ＡＶＩＣ

側が五一%、BHRパートナーズが四九%の株主となりました。

BHRのホームページは二〇一九年の十月の第一週までハンターが役員であることを写真と経歴を掲げて表示していた。ところが、第二週になって当該HPからハンターの名を消し、さらにはHPそれ自体につながらなくなったと報じられました(『サウスチャイナ・モーニングポスト』、二〇一九年一〇月七日)。

ヘンニゲス社は自動車の耐震装置技術にすぐれる企業であり、この汎用技術は「殲21」と「殲31」という中国人民解放軍の空軍ジェット戦闘機の耐震テクノロジーに応用された事実がわかっています。どう見ても、この商行為は純粋ではなく、角度を変えていえば売国奴的行為といえませんか。

さすがにこれはまずいと判断した米国の左派は先制攻撃のためにトランプ弾劾を唐突に言い出しました。これが米国政界を大きく揺らした「ウクライナゲート」ですが、民主党とリベラルメディアが共謀する、でっち上げ事件に過ぎません。

なぜアメリカはかくも中国に甘いのか

渡辺　確か石平(せきへい)さんが、「中国では『泥棒』と叫んでいる人間こそが泥棒である」と言っていたと思いますが、いまの米民主党がまさにそうです。自分が泥棒しているくせに、トランプを泥棒呼ばわりしている構図です。

ところで、この対談でぜひ議論したいと思っていたことの一つですが、干渉主義者であるネオコンが中国に甘いのはなぜか。先述したようにネオコンが反ロシアであることははっきりしています。ところが赤い中国に対しては、トランプが登場するまではっきりした戦略が見えなかった。

宮崎　いまだに仮想敵国の第一位はロシアでしょう。だから日本の自衛隊でも警察でもこれだけ中国脅威論が高まっているのに、やはり防衛目標の第一はロシアですからね。

戦後アメリカの対中外交をざっと振り返ると、トルーマンドクトリンを受けて共産主義の封じ込めの一環として「中国封じ込め」（コンテインメント）からニクソン、カーターを経て「関与政策」に転換し、レーガン以後は、その中間的な「コンゲージメント」（封じ込めつつ関与する）政策に終始してきた。その結果、中国は付け上がり、オバマ政権のときには米国と太平洋を二分しようなどと豪語するようにまでなった。

オバマ政権後期になって、ようやく米国は「アジアピボット」とか「リバランス」を言い出し、中国とは敵対的になり、トランプ政権も中盤にさしかかって、ようやく「封じ込め政策」を表に出していまに至る。

渡辺　つまりブレがある。その点、トランプの対中外交政策ははっきりしています。まずは「知的財産の保護」、それから「製造業の復活」という方針で実際そのとおりに動いているのですが、繰り返しますがネオコンにはまったくそれがない。ネオコンというのはアメリカ外交を見るうえでものすごく大事なファクターですが、対中政策がないため、アメリカの外交をどう解釈していいか、これがわからなくなるんです。

宮崎　理由はいくつか挙げられると思います。ネオコンの師匠格であるアーヴィング・クリストル、それから息子のウィリアム・クリストルはトロツキスト、つまり社会主義という点でもともと中国に対する思想的共鳴がある。これがまず第一。第二に、ユダヤ人というのは歴史的に中国に対して敵対的な行動に出たことがほとんどない。第三にウォール街を操っている人たちの能力主義や強欲資本主義は中国人エリートと非常に波長が合う。

渡辺　GAFA（グーグル・アップル・フェイスブック・アマゾン）をはじめとしたシリコンバレーの巨大IT企業の経営者はやはり中国が好きですね。

宮崎　フェイスブックのCEOのマーク・ザッカーバーグの奥さんは中国人です。

　経済という点ではアメリカ経済界は中国共産党と組んで大儲けしてきたわけでしょう。最も経済成長が大きいのは新興国の工業化で、その最大の市場が中国だった。バイデンのような政治家もグローバル企業の経営者も国内の空洞化などそっちのけで、中国に投資した。「中国も豊かになれば民主化する」というのを大義名分に政治は共産党の人権弾圧も、富の収奪にも最近まで目をつぶってきた。マイケル・ピルズベリーの『China 2049』やピーター・ナヴァロの『米中もし戦わば』が出てきて、中国の異常性に平均的なアメリカ人がやっと気づいたのがここ数年ですからね。

一方の中国企業も、多国籍化、とりわけM&A（企業合併、買収）のノウハウを米国のファンドや乗っ取り屋から学び、欧米並びに豪、日本のハイテク企業を巧妙に買収してきましたが、その秘訣(ひけつ)を中国はユダヤ人から得たフシがある。

また、宗教的に見れば「布教マーケット」としても中国は巨大だった。バチカンでさえ中国に接近せざるをえない。

それからアメリカは建国二五〇年もないくらい歴史が短いから、中国に対し何か悠久の歴史を持つ国という誤解がある。万里の長城を数千年前に築き上げた大文明国だ、と憧れを持って見ているのかもしれません。易姓革命の国であって、王朝は断絶を繰り返し、歴史の悠久性がないことを知らないのですね。それはヨーロッパ人が、人種的にも国土的にも縁もゆかりもないギリシャを自分たちの文明史の発祥の地だと言っているようなものですが。

中国への贖罪意識

宮崎　いまふっと思い出したのは、アメリカのカリフォルニアのクレアモント研究所に招待されて、一九八三年でしたが、一カ月滞在したことがあります。連日レクチャーにやってきたのはレーガン政権のブレーンたちで、朝から晩まで議論しているんだけれども、やっぱり中国に対してはすごく認識が甘いなと思いました。

それから、一九八五年というのは国際青年年で、国連が決めたインターナショナル・ユース・イヤー（IYY）といって世界中で青年の世界大会があったのですが、それにともないレーガン大統領は反共の若者の大会もやっていいんじゃないかと呼びかけて、実際ジャマイカと南アフリカで世界大会が開かれた。私が日本代表で呼ばれて両方の会議に出席したのです。ここで面白いことがあった。パネラーとスピーカーにロシアの亡命者で元KGBの人たちがかなりいたのですが、ロシアがいかに惨たらしいことをやっているかと盛んに訴えるので、質問をした。「あなた方はロシアのことばっかり言ってるけど、中国はおそらくもっとひどいことをやってますよ。これについてどう思いますか」と聞いたら「我々は中国のことは知らない」と言った。情報がないって。

渡辺　もしかしたらですが、アメリカ人の深層心理として、一九四九年に中共ができたのは我々の責任なんだという罪悪感のようなものがあるのかもしれませんね。要するに過去を忘れたいから、議論はしない。ルーズベルトの干渉主義的外交は間違いだったというのを認めることを避けようとしているメンタリティがアメリカ人にはあると思うんですよ。歴史修正主義に対するアレルギーにしてもそうです。ペンス演説（二〇一八年十月）にしても私に言わせれば「お前らが作ったんじゃないか」です。もちろんマイク・ペンスにもトランプにも直接の責任はないのですが。

宮崎　中国人にとっても「なんだってアメリカは、いきなり路線を変えやがって」と思っている（笑）。

人種差別政党から変身した民主党の黒歴史

渡辺　次に民主党が「人種差別政党」から「弱者のための政党」に転身した欺瞞の歴史に議論を進めたいと思います。

日本でも大問題になっている歴史教育ですが、じつはアメリカも大きく変わっています。大きく変わった時期があって、それがいつかというと、ニクソンが弱者救済に政治が積極的に関わるべきだとしたアファーマティブ・アクション（積極的差別撤廃措置）を法制化したときです。

宮崎　アファーマティブ・アクションというのは、いわゆる「弱者」とされる少数派や女性への配慮。たとえば大手企業は雇用に黒人、ヒスパニックの雇用割合を義務づけられました。基本的にJFK時代から唱えられ、ニクソンが法制化し、レーガン時代から実施が顕著となりました。

渡辺　一九七七年に、労働省に連邦政府契約遵守プログラム室（OFCCP）が設置され、五〇人以上の従業員を持ち連邦政府との間で五万ドル以上の契約を結んでいる企業は、アファーマティブ・アクションの実績を報告することが義務づけられました。それと同時に、歴史教育がおかしくなったのです。

本来、初等中等教育では国家の暗い歴史や恥部はあえて捨象し自国に生まれたことに誇りを持つようにするのが「歴史教育の王道」でした。国家の恥の歴史は高等教育で教えればよいというのが常識でした。渡部昇一（わたなべしょういち）先生は、歴史というのは「虹」のようなものであるとし、個々の事象に近づきすぎれば「水玉」に過ぎず、歴史を見るうえで距離と角度の重要性をいいましたが、それでいうとアメリカの歴史教育は子供たちに「泥」を見せているようなものです。「弱者」の視点で歴史を見ることを幼い子供にも強制した。

たとえば、建国の父たちが奴隷を使役したとか、女性は参政権もなく男の下に従属させられていたなどと教えます。それからアンドリュー・ジャクソン大統領は啓蒙され白人との共存の道を探っていたインディアンをミシシッピの西に追いやった（「Trail of Tears（涙の道）」事件）じゃないか、というように。我々が子供のころに教わった「ワシントンは桜の木を切ったけど、それを正直に打ち明けた」といったような偉人のエピソードは取り上げません。

かつては権威であった偉人たちを貶めることが「多文化共生」の証しであるかのような言説がニクソン大統領時代以降ものすごく盛んになった。カナダでも傾向は同じです。そういう教育を受けた世代の典型がジャスティン・トルドー（カナダ首相）です。米民主党のリベラル政治家も同じようなものです。

新20ドル札の肖像画に採用される見込みだった女性黒人解放運動家ハリエット・タブマン（1822―1913）

私は、彼らを、「wet behind the ears（耳の裏が濡れてる）」と呼びます。この英語表現は鶏のヒナがかえるときに耳の裏が濡れていることからきていて、「ヒヨコ」という意味なんです。いまでは、「多文化共生」を絶対善にするヒヨコ世代が育ってしまった。

宮崎　ハリウッド映画を見ていてもわかりますね。ケヴィン・コスナーの『ダンス・ウィズ・ウルブズ』（一九九〇年）も哀れなインディアンを描いています。それから、アンドリュー・ジャクソンはついにオバマ時代に二〇ドル札の肖像画から消されかけた。代わりに肖像画に入ったのは黒人解放の女性活動家（ハリエット・タブマン）で、これは象徴的です。トランプがホワイトハウスに入ったときジャクソンの肖像画がないことに気づき、スタッフに命じて倉庫を探して発見し、いまはちゃんと飾られています。

そして、ポリコレでしょ。これは率直に言えば「言葉狩り」です。

渡辺　二〇ドル札の話ですが、おっしゃるように、二〇年からの切り替えが決まっていました。しかし昨年（一九年）、トランプ政権（スティーブン・ムニューシン財務長官）は、切り替え延期を決めました。いまのところ新札のデザイン決定は二〇二六年、実際の印刷が始まるのは二八年となるようです。トランプ政権は、新札に黒人奴隷解放運動家を印刷することが民主党のアイデンティティ・ポリティックスの象徴であることをわかっています。当分ジャクソンのままのようです。

宮崎　え、その話は初耳でした。私はよく講演で使うためにジャクソン大統領の二〇ドル札を財布に持ち歩いていますが。

民主党の崩壊が世界を救う

渡辺　ポリコレというのはリベラル層にとって便利な言論弾圧の道具に過ぎません。弱者の味方といえば聞こえはいいですが、現実の民主党は決して弱者に優しくない。

なぜなら弱者は、他者に対して寛容ではないという妙な特徴がある。だから、強者の側に立った途端に、彼らが正しいと考える思想を強要するようになる。妥協を探るリアリストの視点を欠く原理主義者になってしまいます。

宮崎　二〇〇八年、「ＹＥＳ　ＷＥ　ＣＡＮ」と呪文（じゅもん）のように唱えて、民主党予備選ではヒラリー・クリントンを退け、本選ではジョン・マケイン（共和党大統領候補）を破ってオバマが当選したとき、米国内の黒人やヒスパニックの歓呼の声が鳴り響いたものですが、オバマ政権下の黒人の失業率（九・五％）はブッシュ時代のそれ（七・七％）より悪化した。支持層からはこんなはずではなかったという不満が拡がっていた。

渡辺　民主党といえば、日本ではリベラルで弱者に優しい政党だと勘違いしている人が多いですが、もともとは人種差別的政党です。十九世紀半ばの時代、民主党の基盤は、南部白人層、つまり奴隷労働経営（コットンプランテーション経営）者層ですから当然です。

南北戦争というのは、その南部民主党に率いられた南部連合が、北部の商工業者層に支持された共和党リンカーン政権から、離脱したことから始まったものです。南部連合が敗れて奴隷解放に応じたのちも、南部諸州の政治は民主党が牛耳ったままで「黒人隔離政策」を推進した。いまでは「黒人」という用語は政治的に正しくないらしくてアフリカ系というようですがここではそのままにします。「黒人隔離政策」が廃止されたのは一九六四年のことです。民主党がいまのような「弱者のための政党」に変身せざるをえなかったのは、第二次世界大戦後、民主党の支持層であった南部白人層が相対的に豊かになったため、差別意識が薄まったからです。豊かになった白人たちは共和党に移ってしまった。つまり、支持基盤の喪失を怖れたからこその変心だったのです。しかも彼らは隔離政策の首謀者でありながら、当時は国全体が人種差別的であったというレトリックを使い、過去の責任を他者に押しつけた。

宮崎　「弱者＝少数者」ということならいくらでも作ることができる。黒人、移民、少数民族、女性などなど。日本でもヘイトスピーチの被害者とされるのは少数者だけで、「日本人＝多数者」へのそれはヘイトではないというのが左翼の言い分です。ヘイトに多数者と少数者は基本的に関係ないのですがね。

トランプ人形は多彩だがバイデンもサンダースもない（撮影：宮崎）

渡辺　問題なのは民主党が票田にするためだけに少数者に「弱者」であることを無理にでも自覚させ、「強者」に対する怒りやルサンチマンを煽ることです。そうなれば否応なく社会は分断されます。そうしておいて弱者の味方を気取って票を集める。日本の左翼政党もずっとこのやり方です。

　歴史問題もそうですが、いかなる国にも誇れない過去があります。だからといって、先人たちの努力を後世の人間が歴史の高みに立って全否定するのは傲慢(ごうまん)です。しかし民主党は票をとるためになら、歴史を対立、いがみ合い、非妥協の継続の道具にする。だからこそ「弱者」を量産するのです。権力を摑(つか)むための主張（戦術）が、アイデンティティ・リベラリズムの正体です。思想と言える代物ではなく、権力奪取のための詐話に過ぎません。

現在の民主党は「リベラル政党」ではなく、フェミニスト、グローバリスト、社会主義者、弱者利権政治家、LGBT（性的少数者）あるいは過激環境保護主義者に乗っ取られた「極左政党」です。同党内のリベラル中道派は逼塞（ひっそく）しています。二〇二〇年の民主党の有力大統領候補バーニー・サンダース（上院議員）はばりばりの共産主義者でハネムーンはモスクワ（一九八八年）でした。ピート・ブティジェッジ（前インディアナ州サウスベンド市長）は同性愛者であることを公言している。エリザベス・ウォーレン（上院議員）は自分はシェロキー族インディアンの末裔（まつえい）だと自称した。民主党では少数派に属することが出世に有利になるのです。ウォーレンは、DNAテストでインディアンの血は流れていないことがバレてしまいましたが。

宮崎 トランプ登場で民主党時代にはタブーであったことが公然と批判できるようになった。ネオコンの悪事も次々に明るみに出た。ヒラリー失墜と裏表の関係です。

渡辺 民主党外交とそれを絶賛するメディアは日本にとっても多大な害悪を及ぼしてきました。その点、私が予想するように米民主党が日本の旧民主党のように崩壊してくれればいい影響を及ぼすでしょう。トランプが再選されて、干渉主義的（ネオコン）外交とポリコレ政治にトドメを刺してくれると思っています。

第四章　戦後経済の正体

ます。

戦後の経済体制を決めたブレトンウッズ

宮崎　ここまで、政治体制という観点から戦後世界史を論じてきましたが、本章では経済体制を見ていきたいと思います。戦後世界経済システムのパラダイムは金本位、通貨、貿易ルールと大変容していますが、基本的な枠組みはブレトンウッズ体制が基盤となっています。

世界のグローバルスタンダードになった金本位制の歴史をざっと振り返ると、一八七〇年代までは純粋な金本位制国は英連邦とポルトガルしかなく、銀本位制化あるいは金銀両方の「複本位制（バイメタリズム）」でした（日本は銀本位制）。それが七一年の普仏戦争により勝利したプロイセンがフランスからの多額の賠償金をロンドンで金に換え、それを準備金として「金本位制」に転換したのをきっかけにドミノ倒しとなり、十九世紀末から第一次世界大戦までは金本位制がグローバルスタンダードとなった。ですから、新生ドイツ帝国の法定通貨も「ゴールド・マルク」だった。

その英国が第一次世界大戦により疲弊し大恐慌による金の外部流出から、金本位制を離脱したのが一九三一年。その一方で、アメリカは着々と金を獲得し第二次世界大戦後には

左:ホワイト(1892—1948)　右:ケインズ(1883—1946)

世界の金の七割をアメリカが保有するまでになった。そのような状況下において、結ばれたのがブレトンウッズ体制で、戦後の経済体制もアメリカがその主導権を握りました。

これによりドルのみ金との兌換を認めたドル基軸体制が確立し、IMF（国際通貨基金）と世界銀行を設立したわけですが、このブレトンウッズ会議で戦後の通貨体制をめぐりアメリカから派遣されたのがハリー・デキスター・ホワイトであり、カウンタパートである英国の代表が有名なジョン・メイナード・ケインズだった。

渡辺　世界的名声ならケインズのほうがはるかに高いのですが、圧倒的な金の保有量を誇るアメリカを後ろ盾にしているホワイトには勢いがありました。しかも戦後、金保有量が激減したイギリスは、アメリカから借金しなければやっていけない台所事情もあったからホワイトには一目置かざるをえない。

宮崎　ケインズは米ドル覇権を弱めるために金本位制ではなく、国際的な決済機関を作り、各国の金準備を集め、それを裏付けとした国際通貨「バンコール（bancor）」の発行を提案した。ケインズは口には出しませんが、もしこの国際決済機関ができればイギリスはアメリカではなくここから外貨を調達すればいいと思ったのではないか。それはともかく、バンコールなど歯牙にもかけられませんでしたが。

ちなみにバンコールという名前はフランス語で銀行を意味する「Ｂａｎｑｕｅ」と金を意味する「Ｏｒ」を組み合わせた造語です。

渡辺　ブレトンウッズ会議では二つの部会がありました。国家財政破綻を回避する組織の設立を協議する第一部会と経済発展を促す融資を行う組織の設立を協議する第二部会です。第一部会はＩＭＦ、第二部会は世界銀行に結実しますが、前者をホワイト、後者をケインズが担当しました。もちろん、各国にとって重要なのは外貨不足の際の救済措置を扱う前者で、それをホワイトが担当したということからも米英の力関係が見てとれます。

宮崎　そのホワイトがソビエトのスパイだというのだから笑えない。

渡辺　じつは金の裏付けによるドル基軸体制は、金の産出国であるソビエトにとっても悪くない体制でした。戦後世界の通貨体制およびＩＭＦ、国連の創設を主導したのはソビエトのスパイであったことは紛れもない事実です。このことはアメリカでも日本でもまったく教えられていません。

ケインズの挫折

渡辺　二つの世界大戦を経てブレトンウッズ体制をアメリカは築き上げるのですが、これにはヨーロッパの自滅という側面もあります。私は『戦争を始めるのは誰か』（文春新書）で詳しく論じたのでここではごく簡単に説明しますが、第一次世界大戦後にナチスドイツを生んだのも、そのナチスドイツを追い込み第二次世界大戦が始まったことも、むろんドイツ自身の問題はあるとしても、責任の多くは英仏あるいは米国の側にある。端的に言えばルーズベルトとチャーチルの責任ですがここでは省略します。

まず第一次世界大戦のヨーロッパ諸国へ与えた打撃が尋常ではなかった。交戦国全体で八一〇億ドルの富が消費されたと試算されています。一九一四年のイギリスの国富、ありとあらゆる財産の合計が七〇〇億ドルといいますから、その膨大さがわかろうものです。

ケインズは経済学者として有名ですが、外交実務にも携わっていました。第一次世界大戦中にはイギリス大蔵省はケンブリッジ大学で活躍していたケインズにアメリカからの資金調達を要請していますし、一九一九年のパリ講和会議ではドイツ賠償問題を検討する委員に任命されています。もっとも、ケインズにとってこの経験は苦いものになりました。英仏のドイツ憎しからくる非現実的賠償金請求を阻止できなかったのです。

英仏両国はこの大戦を戦うために、アメリカから莫大な借金をしました。英国は四七億ドル、フランスは四〇億。フランスはさらにイギリスから三〇億ドルの借款がありました。英仏両国はこれを返さなければならないし、膨大な賠償金をドイツから奪わなければ国民が納得しない。予想どおり、ドイツへの賠償金の総額交渉は難航を極めました。アメリカはドイツの再建も考慮しながら二二〇億ドル程度にすべきだろうと考えましたが、イギリスはなんと一二〇〇億ドル、フランスは二二〇〇億ドルをドイツに要求します。ドイツへの英仏両国民の憎しみの巨大さが露わになった金額です。

算定作業に当たっていたケインズの試算によればドイツの支払い能力はせいぜい一〇〇億ドルですからドイツが払えるはずがありません。ケインズはそんな額を請求すればドイツ国内で革命が起こり、ヨーロッパ全体が再び危機に陥ることを忠告しますが、英仏両首脳は聞く耳を持ちません。ケインズは無念のうちに辞任します。

結局この会議では賠償金総額は決まらず、ドイツ代表のミュラー外務大臣はベルサイユ条約に無理矢理署名させられショックのあまり会場から戻ったホテルで卒倒します。賠償額が決まっていないのにそれを約束させられたのですから、白紙小切手にサインをさせられたことと同じです。ドイツ国民に申し訳ないと思ったのでしょう。翌年に連合国の配分比率が決まり（英国二二%、フランス五二%、残りは勝利国で配分）、翌々年に一三二〇億ゴールドマルク（三三〇～三四〇億ドルに相当）と決まります。

ケインズの試算を大きく超えた懲罰的な賠償額となったためにドイツ国民は英仏に激しい恨みを持った。その国民心理がナチスを台頭させ、ケインズが懸念したように第二次世界大戦を生む火種となってしまった。

金本位制から管理通貨制度へ変節したケインズ

宮崎　そのために、ドイツはハイパーインフレとなってリヤカーにカネを積み上げてパン屋へ行ってもコッペパン一個しか買えないこととなった。結果、ヨーロッパでは金が流出し、アメリカの一強を許してしまった。第一次世界大戦後の時点で、すでに四割の金をアメリカは保有していました。

興味深いのは、金準備が減少し金本位制が維持できなくなると見るやケインズは「管理通貨制」について論じ始めています。一九二四年に発表した彼の主著である『貨幣改革論』のなかで、金本位制放棄＝管理通貨および変動相場制への移行を訴えていました。金本位制を支持していた彼の変節です。

ヨーロッパが疲弊したため、戦前まで約五十年にわたり享受していた金本位制のメリット、「為替レートの安定」と「物価の安定」が崩れてしまい、各国はどちらの安定を重視するかの選択を迫られた。為替レートの安定は国際協調、つまり貿易業など海外との関係を重視するもので、その最たるものが固定相場制です。一方為替の変動の影響を自動的に調整し、国内の物価の安定をもたらすのが変動相場制。しかし、たいていは国内の物価の安定を選ぶ、与える影響が大きいですから。貿易立国のイギリスでさえ、多くの国民に影響を与える国内の物価の安定を優先せざるをえないことからも明らかでしょう。

渡辺　私も宮崎さんも貿易をやっていたから為替の恐さは身に染みて知っている。いま日本の多くの企業が多額の内部留保を抱えていると非難されていますが、経営者からすればいくら利益を溜めていても為替変動があればたちまち利益が吹き飛ぶ恐怖が常にある。内部留保をできるだけ厚くしておきたいという経営者の心理はよくわかります。

宮崎　そう、固定相場制のほうがいい（笑）。固定相場制はそれを維持するために政府が金融政策をとりリスクを負うけど変動相場制は為替損益を民間がまるまる負わなければならない。国家の介入を減らし、国境をなくせと主張するグローバリストから見れば固定相場制は打倒するターゲットとなった。変動相場制ならカネが政府の規制を超えて暴れまわることもできるし……。

話を戻すと、つまり、ケインズは純粋な経済学者というよりは、イギリス外交官として、また愛国者として国際情勢を見たうえでイギリスの国益になるような経済政策を提言していた、と見るほうがいいでしょう。

ケインズの代名詞である財政政策、国家が赤字国債を発行して公共事業などに財政出動する財政政策を唱えたのも、やはりイギリスの事情があった。イギリスの貯蓄の大半が海外に投資される傾向があったため、利下げによる金融政策を行うと国内投資が活性化される半面、資本流出を招く問題があったため、金融政策に替わる政策を模索する必要があったのです。

そういう意味では、ケインズ経済学といっても、普遍の原理を提唱していたのではなかった。

現にケインズは論敵だったハイエクに、ケインズ学派の続けている政策はいまの状況ではもう古いと自ら批判していたといいます。

保守派が誤解するミルトン・フリードマンの経済学

渡辺　私は経済学的にはケインズよりもハイエクを支持します。ハイエクは市場の自律回復を信じる立場であり、ケインズ主義のような政府の介入は全体主義につながると批判しました。

また、保守のなかでは評判が悪い、ミルトン・フリードマンの経済学は重要だと思います。経済政策においてはハイエクと対立しますが、全体主義を否定し、自由主義を徹底擁護するという点では共通の立場です。フリードマンは経済学者である前に自由主義者で、政治と経済には密接な関係があり政治的自由を達成するためにも経済的自由が欠かせないとします。

フリードマンが誤解されるのには次のような理由があると思っています。一九一三年にアメリカの政治家がずっと拒否していた中央銀行（ＦＲＢ）ができあがった。彼は、得体の知れない国際金融資本家の操るＦＲＢをなんとかしなくてはならないがこれをなくすことはもうできない、それなら貨幣供給量にできるだけ自由裁量が効かないようにすべきだと考えた。学者、官僚あるいは政治家の思惑で貨幣供給量を操作させない。言い換えれば

ＦＲＢの存在を与件としながら、ＦＲＢを動かす魔物の手足に鎖をはめたかったのです。フリードマンの思想の根底には貨幣供給量は市場に任せておいたほうがよい、理屈をこねる学者や官僚に任せるよりよほど安全だという信念がある。

貨幣供給量は知恵ある人間がコントロールできる、という幻想を「理論化」したのがケインズです。ケインズ経済学は、それまで財政均衡が当たり前であった政治世界を一変させました。赤字予算を組んでも構わないというのですから、権力を行使したい政治家にとっては、有難い「お告げ」です。ばらまき財政で集票はできるは、戦費の心配なく戦争できるはでよいことだらけ。

ＦＲＢができた翌年に第一次世界大戦が始まった。アメリカが参戦したのは一九一七年四月です。なぜできたのか。銀行が軍需産業に金を貸し込んでも心配ない。なぜならＦＲＢが後ろに控えているからです。ルーズベルトがニューディール政策をとるころには、ケインズ経済学が浸透していて、同政権にはブレイントラストとよばれる学者の群れがアドバイザーとして大量に採用されています。財政の大盤振る舞いで国民は喜んだ。ルーズベルト政権の長期化とケインズ経済学には密接な関係があります。

ケインズは、外交官ということもありますが、あくまでイギリスの国益を経済学に反映させ、金融政策重視から財政政策重視へ、金本位の固定相場制から変動相場制へというように時代状況によって考えが大きく変わります。その点フリードマンは自由主義ということで一貫しています。自由市場を守るために政府の人為的な管理を極力阻む「小さな政府」を志向しながら、同時に自由社会を成立させるためのルールを整備し争いを調停する政府の必要性も説いている。彼はアナーキズムでもなければ国家破壊を目論むグローバリストでもありません。

彼の主張は競争社会を煽り弱者を切り捨てるものだという左翼の批判も当たりません。フリードマンはリベラル勢力がFRBを利用して、「自由」よりも「平等」や「福祉」を重視するようになった傾向に危惧し、ひいてはそれが社会主義につながることに警鐘を鳴らしたのです。

ブレトンウッズ体制は変動相場制に移行することにより崩壊しますが、まだ盤石に見えた一九五〇年代にいち早く変動相場制を支持したのもフリードマンです。ケインズとフリードマンでは時代がずれ一概に比較はできませんが、変動相場制のメリットに関してはフリードマンのほうが確信を持っていました。

なぜ固定相場制が問題かというと、変動相場制であれば為替レートを市場で自動的に決めさせればいいが、固定相場制では為替を安定させるために行政の仕組みが大掛かりになり、それが「大きな政府」を生むことになるからです。しかも為替を調整するのには相手

ニューヨークに建つプラザホテル。ここでプラザ合意がなされた（撮影：宮崎）

国の同意もとりつけなければならない。これがいかに大変かは米中対立により通貨防衛を迫られる中国を見れば明らかです。

宮崎　日本でいえば、一九八五年のプラザ合意です。ＮＹの超一流ホテル「プラザホテル」で開催され、アメリカの貿易赤字を解消しようとドル高を是正するために、ドル売り介入をした。アメリカの一方的な要求を日本は呑まざるをえなかった。

渡辺　おろかなことに当時の日本政府・日銀はドル安にする金融政策をとり、国内の物価安定をおろそかにしてしまった。その結果が国内の未曽有の資産バブルでした。

ペトロダラーシステムを作ったキッシンジャー

宮崎　二〇一九年にはアメリカの財政赤字額は年一兆ドル（約一一〇兆円）を超え、先進国全体の八割まで占めるようになったと報じられています。利払いだけで年四三兆円というのだから恐ろしい。最大の謎はそれでもドルに信任があって世界中に流通しているというのは、ほとんどフィクションです。

渡辺　フィクションです。このフィクションを可能にしているのが「ペトロダラー（ドルベースの資源取引）」というシステムです。ニクソンショック後、ドルは金とのリンクが外れた。その信用を支えるためにドルと石油取引とをリンクさせたのがペトロダラーシステム。これを考案したのはニクソン政権時に国務長官だったヘンリー・キッシンジャーです。

キッシンジャーは世界最大の産油国であったサウジアラビアの王朝政権と交渉し、同国がイスラエルや他のアラブ諸国から攻撃を受けた場合にはサウジ王家を守ると約束した。最新兵器の販売も認めた。その見返りに、同国の全石油取引をドル建てで行うこと、貿易黒字部分で米国債を購入することを約束させます（一九七四年）。米国はサウジと契約すれば他のOPEC諸国も追随すると踏んでいましたが、まさに思惑どおりになった。したがって、アメリカが一番嫌がるのは、このペトロダラーシステムの崩壊です。産油国にはドル以外での決済を決して認めない。

　これはアメリカの大統領がトランプであろうがヒラリーであろうが、絶対死守です。世界経済が拡大すればするほど、ドルに対する需要は上がってくる。アメリカはこのシステムがあるからこそ世界最強の地位を保てているのです。この体制を物理的に担保しているのが世界最強の軍隊です。アメリカはトランプ政権でエネルギー政策を一八〇度転換し、いまではエネルギー大国です。ペトロダラーシステムは当面盤石です。

宮崎　いまレアメタルというか、金も銀も銅もドル建てで取引されています。だからそういう意味では、このドル基軸通貨を脅かすような国が出てきたらアメリカは当然潰す。

渡辺　リビアのカダフィがそうです。カダフィが潰されたのは、自国通貨であるディナールに金との兌換性を持たせた「ゴールド・ディナール」を石油取引のベース通貨にしようとアフリカ諸国に提案したのが原因です（二〇〇九年）。前章で述べたようにこの構想にはチュニジアのベン・アリ大統領もエジプトのムバラク大統領も賛意を示していたといいます。

宮崎　イラクのフセイン大統領が潰されたのも同じ理由でしょう。石油取引の決済通貨をユーロとの併用にしようとした。

渡辺　私が翻訳したマリン・カッサの『コールダー・ウォー』（草思社）にはペトロダラーシステムができてからの異変を五点挙げています。第一は宮崎さんが先に述べた米国の累積赤字の問題。第二に製造業の衰退、第三に不況からの弱い回復力（大量のマネーサプライにもかかわらず、失業率もなかなか減らない）、第四に預金者をバカにするほどの低金利、第五に債券市場におけるバブル。

ペトロダラーシステムが崩壊するようなことになればアメリカの弱体化は免れない。その兆候は表れていました。中国・ロシアのドル離れ、これにイランなどへの金融制裁によるドル離れが加わった。

しかし、先ほど申し上げたようにトランプはエネルギー政策を変更し、アメリカ経済もアメリカファースト政策で蘇（よみがえ）った。軍再建にも力を入れ、宇宙軍の創設（二〇一八年六月）も決めました。ロシアも中国もイランも抵抗できません。トランプ大統領の出現でアメリカはますます強くなるのは間違いないです。

一つだけ付言しておくと、トランプ大統領の軍重視は、戦争をしないための抑止力としての側面が強い。彼には、ネオコン思想はありません。海外駐留軍はできるだけ縮小したいと考えている。トランプであれば、リビアのカダフィ政権のレジーム・チェンジをしない形で、ペトロダラーシステムの維持をはかったでしょう。そういう外交だったら、リビアが過激派の巣窟(そうくつ)になることはなく、リビア国民も幸福だった。

世界は金本位制に戻れ

渡辺　ところで、宮崎さんはご著書や講演やメルマガなどでも金本位制に戻れとたびたび言及されていますね。

宮崎　もちろん、現実問題として金本位制に復帰することは時代錯誤だし不可能だというのは承知のうえで警鐘を乱打しているのですが、いま世界のマネーサプライがあまりにも膨張しているでしょう。日経新聞は二〇一六年の世界の通貨供給量は八七・九兆ドル（約一京円）と世界の国内総生産（ＧＤＰ）総額よりも一六％も多いと報じましたが、しかし世界の負債はだいたい二〇〇兆ドル、デリバティブは一二〇〇兆ドルにも及ぶとも言われています。

これは異常ですよ。金本位制下では金の裏付けがなければ通貨を発行できないという歯止めがあった。つまり倫理があった。これがただの「紙の貨幣」、フィアットマネー（不換紙幣）である管理通貨制になって以降、マネーが実体経済をはるかに超えて膨張してますから、恐ろしい話です。

渡辺　まったく同感です。金本位制のころは、金の準備率、いまでいう自己資本比率も銀行はずっと高かった。銀行のでき始めのころはどこも慎重で、金の準備率は五〇％もあった。つまり、信用創造（銀行券の発行）はせいぜい二倍程度に過ぎず、取り付け騒ぎが起きても半分持っていれば何とかなるだろうと。それがどんどん減って、四分の一になり、いまではもう八％前後が当たり前で、低いと五％の銀行もある。

宮崎　そういう意味でいうと、それに近い通貨が世界にもしあるとすれば、それはとてつもなく強い「地域通貨」としての香港ドルですよ。

なぜかというと香港ドルは発券銀行が三つある。不思議でしょう。香港上海銀行、スタンダードチャータード、中国銀行。みんな独自のデザインの香港ドルを出していますが、発券銀行はそれに見合うだけのドルを香港金融管理局（ＨＫＭＡ）に預託しなければならないのです。

香港の外貨準備は、ＧＤＰの一・一七倍の四二四五億ドル前後あり、そのうち四四九億ドルの外貨がＨＫＭＡに預託されています。これは言ってみれば世界でも「一番信用がある通貨」です。つまり、ドルペッグで、固定相場は一米ドル＝七・八香港ドル（日々の変動幅は七・七五～七・八五）で安定しています。むろん、ドルが乱高下しない限りにおいてですが。
　そしてこれを最大に利用しているのが中国です。中国の国際金融市場なんて誰も信用しませんが、中国企業の起債とか株式の調達は、じつは大半を香港で行っている。上海でやろうとしても誰も信用しない（笑）。中国の中央銀行（中国人民銀行）の総裁をやっていた周小川にしても、現総裁の易綱にしても人民元をかなり過大評価してます。ドルに代わる国際通貨の地位を狙うなどと豪語していますが、あの背骨のない自信はどこから来るのか？

渡辺　ドルペッグで昔はそれが金ペッグだった。そして人々は信用のおける銀行を選んで預けていた。その点、本当は香港のほうが正しい。もちろん信用の基盤がフィアットマネーの米ドルという現実はどうにもなりませんが。

貨幣とは何か

渡辺　日本ではまったく教えられていませんが、一九一三年までのアメリカは金準備をベースにして、複数の銀行が紙幣を発行していた。銀行間決済も、サフォーク銀行（ボストン）がその機能を果たしていた。無理に貸し出しを増やす銀行の銀行券は市場での信用力が下がるので危ない銀行は自然淘汰(とうた)された。貨幣供給量（流通量）は市場が決めていたのです。それでもアメリカは十分に成長した。もちろん何度も恐慌が起きましたが、世界恐慌にはなっていない。恐慌というのは、放漫経営の銀行を淘汰する健全な市場メカニズムだった。中央銀行ができると、放漫経営しても救ってもらえるので、銀行家の野心にブレーキが利かなくなるのです。一九二九年から始まった世界大恐慌はＦＲＢができていなければ起きなかった。

宮崎　ハイエクらの主張はオーストリア学派と呼ばれています。いまは経済学部の学生も学びませんが正しいんですよ。ハイエクは中央銀行が発行する通貨と、民間が発行する通貨と並立であってもいいと言った。「国家の放漫財政が規律をともなって抑制され、良質な通貨となる競合状態を招く」と。だからそれの延長として出てきたのがいまのビットコインやリブラなどのデジタル通貨ですよね。ところが、ヨーロッパもアメリカもフェイスブックが実現させようとしたリブラ構想には正面から強烈に反対している。それは政府と中央銀行に対する反乱みたいなものですから。余談ですが、ハイエク先生が東京に来られたとき、私は会ったことがあります。

渡辺　ハイエクは歴史上の人物のなかで会ってみたかった一人でした。ところで宮崎さんはご著書『チャイナチ　崩れゆく独裁国家中国』（徳間書店）でいまその状況を「通貨戦争4・0」と位置付けられていますね。

　ようするに中央銀行という存在は何なのか、という問題です。ケインズ型の理論でいけば、中央銀行がコントロールすることによって貨幣の信用を維持するという議論でしょう。だけど、ハイエクの議論は、いわゆる通貨自体を競争させること、つまり、政府の恣意を入れないということがポイントです。政府や中央銀行の恣意を入れず貨幣の中立を守る。通貨発行に近いポジションにいる人が有利にならないようにする。貨幣の量は市場の競争で決めさせる。しかしそれは政治家にとっては都合が悪い。


宮崎　中国の歴史を振り返ってもそうです。銀本位制なんですが、地域によってもてんでんバラバラな通貨を出している。統一通貨を作るために高橋是清が相談を受けています。

　日本の場合は、平安時代末期から中世にかけて入ってきたシナの宋銭（銅銭）が主流でしたが、日本が金の小判を作りだしてからも貨幣は統一されてなく、その交換比率でもって成り立っていた。慶長小判と寛政あたりの小判とでは金の含有量が異なる。

　ところが江戸中期になったら何が起きてくるかというと、藩が借金をやるために勝手に藩札を出し始める。全国の藩の約八割に当たる二四四藩、一四の代官所、九の旗本領が紙幣の発行を行っていたといいます。だから明治初期の太政官布告の第一号（正確には「太政官達」。明治五年から「太政官布告」となる）というのは藩札をどうやって処理するかが課題でしたが、一つの参考になるのは赤穂藩が取り潰されたときに、赤穂藩は藩札を六分替え（額面の六割交換）で全部回収して綺麗にしている。それが赤穂の偉いところです。

しかし同じことを江戸時代の終わりにはまったくできなくて、それで明治新政府は新しい統一通貨を発行するときに過去の清算をどうするかものすごく手間取る。

中国の場合はそういう責任論がそもそもない。出しっぱなしで、あとがどうなろうが、全然気にしません（笑）。偽札も多いから必然的にインフレになる。

日本の場合、戦場では軍票を出して通貨代わりにしました。この原点はどこだろうと辿るとじつは西郷隆盛（さいごうたかもり）の「西郷札」なのです。

あれは西南戦争の軍費を補うためにバンバン西郷札を発行（一八七七年）した。通用期間三年の不換紙幣で、一〇円、五円、一円、五〇銭、二〇銭、一〇銭（藍色）の六種あった。本来、西南戦争に勝利した明治新政府はこれを買い取らなければいけませんでしたが、それをしなかったため無価値となった。そのため、西郷札を多く引き受けた商家などは没落するものもあったといわれ、西郷軍の支配下にあった地域の経済に大きな打撃を与えました。しかしこれくらいじゃないですか、日本政府が責任取らなかったのは。海外で発行した軍票も戦後賠償という形で補償してます。郵便貯金にしたってね。日露戦争時の借金にしたって六から七％という高金利を約八〇年もかけて完済しているほどですから

（一九八六年）。

中央銀行は必要か？

渡辺　ミルトン・フリードマンはそもそも中央銀行が必要であるかどうかの地点に立って検討しています。先ほど申し上げたように、一九一三年にアメリカの中央銀行である連邦準備制度（ＦＲＢ）ができるのですが、それができる前とできたあとを比較して「通貨供給量、物価、国内総生産いずれをとっても、明らかに制度設立後の方が変動が大きく、経済は不安定だった」（『資本主義と自由』村井章子訳、日経ＢＰ社）と総括します。戦時平時を問わず。そして一九二九～三三年に発生した大恐慌を含み三度にわたる不況があそこまで深刻化したのは「連邦準備制度がやるべきことをやらず、やるべきでないことをしたからで、以前の通貨・銀行制度下ではああはならなかったはずだ」（同前）と断じます。

特に大恐慌においては、ＦＲＢの金融政策のせいで、国内三分の一の銀行を消滅させたあげく、前代未聞の一切支払い停止という事態を迎える羽目に陥ったといいます。

そしてアメリカで発生した大恐慌の教訓は、「一握りの人間が一国の通貨制度に強大な権限を振るうとき、そこで判断ミスがあったらどういうことになるかを示した」とし、

「その失敗が、たとえ無理もない失敗だとしてもあれほど重大な結果を引き起こす可能性があるとしたら、それは悪い制度である。まず、自由を重んじる立場からみて悪い制度である。一握りの人間に権力を集中させ、合議などによるチェックが働かないからだ。これが、中央銀行の『独立性』に私が反対する政治上の理由である。加えて、自由より確実性を重んじる立場からみても悪い制度である。責任は分散させながら権力だけが少数の人間に集中し、したがって、その人たちの知識や能力に高度な政策判断が委ねられるような制度では、容認できる失敗にせよそうでないにせよ、とにかく失敗は避けられないからだ」（同前）

通貨は中央銀行に任せておくには重大すぎると結論します。

宮崎　この引用でポイントとなるのは中央銀行の「独立性」です。通常の議論では中央銀行の政策決定を政治の干渉から守るために独立性が必要とされるのですが、逆ですね。いままでは、その独立性をいいことに、一定の手続きを踏まなければならない政治よりも意思決定が早い中央銀行の役割を拡大しようとする動きもあるほどです。つまり、中央銀行が政治の領域に侵入し始めている、ということです。

渡辺　フリードマンは、金本位制ではなく、中央銀行でもなく「政府の無責任な干渉を受けない安定した制度、市場経済に必要な通貨の枠組みは用意するが、経済的・政治的自由を脅かすような権力を生まない制度」はどのようなものが望ましいのか、次のようにいいます。

「唯一有望な方法は、金融政策のルールを法制化し、人間の裁量はなく法律の規定に従った政策運用を行うことである。そうすれば国民は議会を通じて金融政策ににらみを利かせることができ、しかも金融政策が政治家の気まぐれに翻弄されることはない」（同前）

フリードマンはＦＲＢが作られてしまった以上はなくすことはできないとしても、その自由裁量の幅を極力狭め、ルールに基づいた金融政策をとることを提唱します。このような中央銀行に対する懐疑がいまの経済学者にまったく欠けているところです。まあ、そんなことを考えたりすれば、経済学会での出世は望めなくなりますが（笑）。

宮崎　だいたい連邦準備銀行は民間銀行であるにもかかわらずFederal Reserve Bankと国営銀行を装っています。

渡辺　そこにトリックがある。

フリードマンはＦＲＢの裁量に大きく委ね、経済成長を促すようなケインズ的な金融政策をしてはいけないといいます。あくまでルールに基づいて運営する。具体的には通貨供給量（現金＋預金）の合計は年率Ｘ％と定率で増やすことを提言します。Ｘは三から五が望ましいとしますが、重要なのは数字ではなく何のどんな増減率を金融政策の対象とするかであり、経済学の知識の現状から当面は通貨供給量を選ぶのが無難だろうと。いままでは、金融政策といえば物価水準を目標にするインフレ・ターゲティングが有名ですが、当時の金融当局には能力不足だとして退けています。

極論すればフリードマンは金融政策をやめようということかもしれません。人為的な管理通貨ではなく市場が決定する「自動通貨」が望ましい。フリードマンの理想は純粋な金本位制です。

「もしも商品準備高と通貨供給量を連動させる、言わば自動商品本位制が実現したら、自由主義者が直面するジレンマを解決するすばらしい制度となったにちがいない。政府が通貨発行権を濫用するおそれなしに、安定した通貨の枠組みが実現したと考えられるからだ。たとえば、国内で流通するのがすべて金貨であるような純粋な金本位制が広く国民に支持されたとしよう。そして国民は制度のメリットをよく理解しており、政府が介入して何らかの操作を行うのは不適切で好ましくないと考えているとする。その場合には、政府は通貨を操作したり、場当たり的な通貨政策をとったりすることは、できなくなるはずだ。したがってこの制度の下では、通貨に関する政府の権限はごく限られたものとなるだろう。だが先ほど述べたとおり、完全自動の制度はかつて実現したことがなく、物品貨幣に加えて信用貨幣が混在する制度へと向かうのが常だった。信用貨幣は具体的には銀行券や預金通貨あるいは政府紙幣などで、信用で流通する。ひとたびこうした信用貨幣が登場すると、たとえ当初は民間機関が発行したものであっても、いずれ政府が管理するのは避けられないことを歴史が証明している。理由は、要するに、偽造や乱発などを防ぐのがむずかしいからだ。信用貨幣は本位貨幣を払うことを約束した契約書とみなすことができるが、契約の締結から履行までの期間がたいていはかなり長いため、契約を確実に履行させるのがむずかしく、偽の契約書を発行する輩も現れやすい。そのうえ、一度信用という要素がもちこまれると、政府は自ら信用貨幣を発行したがるようになる。かくて商品本位制は、実際には国家が広範に干渉する混成的な制度になりがちだった」（同前）

したがって、それができないならマネーの総量増加は定率でやるべきだ、と。その結果インフレ率などを予測できるようになればなおいい。

GNP（国民総生産）を計算するのに、ケインズ流の、

Y（GDP）＝C（民間消費）＋I（民間投資）＋G（政府支出）＋（X（輸出）－M（輸入））

じゃなくて、

M（貨幣量）×V（流通速度）＝P（物価水準：すべての商品の理論上の平均価格）×T（取引量）

という、貨幣量と貨幣の回転率がGNPを決めるのだと。フリードマンはあくまで貨幣とはなんぞやという地点から、マネタリストとして経済を見ています。

中央銀行が作られてしまった以上、これは原爆を人類が発明したのと同じで、原爆を消すことはできないように中央銀行も潰すことはできない。そういう現実認識がフリードマンにはあって、それを前提に中央銀行の役割を極力制限する。その結果、ある程度の好不況が起きたとしてもそこは自然回復に任せようじゃないか、と。

もちろん、中央銀行を「完全に否定して元に戻すべき」というそもそも論もありますが、それは政治的に現実的ではない。フリードマンを批判する人たちはそこを捨象しているように私には見えます。

中央銀行の歴史の謎

宮崎　フリードマンの説を確かめるために、中央銀行の歴史を繙きましょうか。ご承知のとおり、世界で最初の中央銀行を作ったのはイギリスで、一六九四年に創設されたイングランド銀行です。これは政府会計の出納を受け持つなど公的サービスを行う義務と引き換えに、「イングランド銀行券」という兌換紙幣を発行する権利を与えられましたが、当時は独占ではありませんでした。それどころか、ナポレオン戦争の影響を受けてイングランド銀行券と金との兌換が停止される時期（一七九七〜一八二一）さえありました。つまり通貨発行ができなかった。それが再開されるのは一八四四年で、「銀行条例」が発布され通貨発行の独占をイングランド銀行に認めるようになった。

とはいえ、「貨幣」という意味ではイングランド銀行が独占していたわけではありません。貨幣＝支払い手段ということであれば、「合資銀行」や「ブローカー」と呼ばれた金融機関の小切手も流通していたからです。そういう意味では中央銀行発祥の地であるイギリスでさえ、ハイエクがいうような通貨発行をめぐる金融機関同士の競争があった。

このイングランド銀行を皮切りにヨーロッパでは続々中央銀行ができていきます。

渡辺　アメリカでも中央銀行を作ることに対しては少数の金融資本への権力が集中するということで、ものすごい抵抗がありました。その点ではアメリカ人の警戒感は日本よりものすごく強い。したがって、ＦＲＢができるまでは政府からライセンスをもらった多数の民間銀行「ナショナル・バンク」に通貨発行させていた。紛らわしいですが、ナショナル・バンクといっても民間銀行です。ナショナル・バンクは連邦政府から特別な国債を購入し、その購入した国債額の範囲内で自由に紙幣を発行することができました。日本も日本銀行ができる前までは、このアメリカの制度を見習い、「国立銀行条例」（一八七二年十一月）を制定しました。この法律をまとめたのは当時大蔵少輔だった伊藤博文です。そして翌七三年に渋沢栄一が日本初の国立銀行である第一国立銀行（現：みずほ銀行）を設立します。その後、いまも残る七十七銀行など一五三行の国立銀行ができた。国立銀行という名は付いていますが民間銀行です。

私が不思議に思うのは、日本銀行は一八八二年に誕生しますが、設立があまりにも急なことです。アメリカよりも三〇年近く早い。しかもアメリカ国民の中央銀行に対するアレルギーは伊藤も知っていたはずなのに。おそらく渋沢栄一あたりが進めたのでしょうが。彼は、パリ時代にフランス・ロスチャイルド家から秘密の指南を受けて強力な政府（大きな政府）作りには中央銀行は欠かせないと教えられたのではないかと邪推しています（笑）。

山口県光市にある伊藤博文の生家（撮影：宮崎）

宮崎　渡辺さんとご一緒した山口県の光市にある伊藤公資料館にもその説明はなかった（笑）。

それと日銀を作った松方正義（まつかたまさよし）の影響が大きいでしょうね。松方は「国立銀行制度」ができる前からこれに反対していました。国立銀行は当初は金兌換の方針をとっていましたが、すぐに金が枯渇し、不換紙幣に切り替えてからは貨幣量が増加しインフレの原因になっていた。外遊中だった松方に中央銀行設立のアドバイスをしたのは、レオン・セイというフランスの大蔵大臣です。その際、ベルギーの中央銀行であるベルギー銀行を参考にするように助言されたといいます。

松方はなぜ中央銀行が必要かという理由

を、第一に全国各地でバラバラだった銀行間の融通を中央銀行を中心に置いて連携をはかり「金融を便益にする」、第二に取り付け騒ぎなど各銀行が「流動性の危険」に晒された際の「資金力の拡充」です。第二の理由はいわゆる「バジョット・ルール＝最後の貸し手」のことです。

渡辺さんがおっしゃるとおり、松方は大蔵卿に就任してからたった一年で日本銀行を開業させるので驚くべき早業です。もっとも、その日銀が実際に発券するまでは三年の準備期間を設けている。これは兌換紙幣とするために銀を集めるのに時間を要したからですが、それにしても早い。

中央銀行の役割はどこまで拡大するのか

宮崎 中央銀行の役割としてあるのがいま述べた「バジョット・ルール」。要するに金準備に対して不良債権を抱え過ぎた金融機関に取り付け騒ぎになり（内部流出）、国内の信用不安から海外への金の流出（外部流出）を防ぐために中央銀行が最後の貸し手となってそれを食い止める、という役割なのですが、もとをただせば放漫経営していた銀行に問題がある。そもそもそうした銀行を救済するのは正しいのか。現にリーマンショックでも

「大きすぎて潰せない」問題が生じた際に、政府ではなく中央銀行が資金を貸し出した、つまり事実上の株主になった。これは中央銀行の役割としては明らかに脱線しています。

教科書的なことをいえば、中央銀行の役割は最後の貸し手に加え、「物価の安定」をはかる金融政策、「完全失業率の達成＝雇用の安定」に財政政策。日銀に至っては実質的に日米株式を買って株高の演出まで担ってます。

渡辺　やはりいまの経済学者に欠けている議論は中央銀行とは何か、貨幣とは何かの議論です。貨幣や中央銀行の持つ怪しさについて一切触れない、そんなことは終わった議論にしてしまっています。貨幣とは何かについてはいまだにわからないところがある。

宮崎　しかしここにきて問題が急浮上しているのは暗号通貨でしょう。フェイスブックの「リブラ」構想は各政府中央銀行から大バッシングを受けておそらく発行にはこぎつけないでしょうが、要するに中央政府と中央銀行がコントロールできない通貨が市場に投入される事態を迎えている。これは無政府というか国家破壊主義につながるような考えでもある。貨幣とは何か中央銀行は必要なのか、古くて新しい問題を否応なく我々は考えなければならないわけです。

ケインズ経済学に近づくマルクス経済学者

渡辺　次のテーマに移る前に一つだけ私の身近で起きたエピソードを紹介させてください。宮崎さんも経験していると思いますが、ここで話題にしている中央銀行の怪しさとか、貨幣とは何だろうかといったテーマで議論ができる人は少ないです。そんなことを考えたこともない人がほとんどでしょう。私の友人にトロントの大学で経済学を勉強した男がいます。彼も大学で学んだケインズ経済学がどうも腑に落ちないでいた。彼が最終的に正しいらしいのではないかと思えたのがハイエクから出たオーストリア学派の理論です。彼と話を進めるうちに、ケインズ経済学はマルクス経済学の亜流ではないかとの思いに至りました。

そんな彼のところに日本の大学で経済学を教える大学教授がホームステイしました。彼は、私とするような感覚で、ケインズ経済学の怪しさをその教授にぶつけたところ、顔を真っ赤にして怒り出したそうです。おそらくその教授は、今日ここで議論した中央銀行生成の歴史的経緯や、貨幣とは何ぞやについて深く考えたことがないのではなかったか。

私は大学では近代経済学を学びましたが教科書はポール・サムエルソンが書いたもので

した。翻訳者はあの都留重人（つるしげと）（元一橋大学教授）です。私は、左翼活動家の都留がなぜ、マルクス経済学と対極にあるはずの近代経済学の教科書を翻訳したのだろうとずっと疑問に思っていました。いまでは、都留は、「近経とマル経には大差がない」ことに早い段階で気づいたのではなかったかと思っています。「これで騙せる」とニヤッとしていたかもしれない。

ケインズは、資本主義諸国がマルクス主義の脅威に怯（おび）えている時代に政治外交の世界にいました。だから、何とか母国を含めた西洋諸国が赤く染まることがないようにと考えた。それには財政均衡を顧みない政府財政出動しかないと考えた。だから一所懸命に、財政赤字でも構わないというロジックを練った。その結果、大きな政府ができ西欧諸国も全体主義的国家になってしまう危険性があることをわかってはいたが、共産革命よりもましだと割り切ったのではなかったか。

都留重人が翻訳したポール・サムエルソンの近代経済学（岩波書店）

宮崎　あっ、なるほど都留重人の謎の一つが、いまの渡辺さんの話を聴いて氷解しました。

第五章　世界は宗教が攪乱する

ウェストファリア体制後も「政教分離」ができなかったヨーロッパ

宮崎　戦後世界史を考察しようとして私たちはここまでに政治、経済における戦後の秩序・体制を眺めてきましたが、本章では「宗教」的観点から世界と日本を比較したいと思います。

ヨーロッパにおいては、プロテスタントとカトリックの最大の宗教戦争である三十年戦争（一六一八〜四八）の結末によりウェストファリア条約において「政治」と「宗教」は分けるということで、一つの秩序が保たれてきた。

もっともこれは日本で理解されている「平和」ではなく、西洋における「平和」概念は、これをひっくり返した「和平」です。中国語でも和平で平和は日本から輸入した言葉です。秩序を圧倒的な力でもって平定する。そこに訪れた秩序のことをピースという。ですから日本とヨーロッパでは「平和」のイメージが違います。

渡辺　ウェストファリア条約が結ばれたのは一六四八年ですが、政教分離しなければ社会が安定しないというのであれば、日本はとっくにやっていた。

宮崎　聖徳太子（しょうとくたいし）のころからそうですね。日本においても外来の仏教と神道の衝突があり、およそ一〇〇年の廃仏毀釈の時期がありましたが、聖徳太子が仏教を国教化する前に神仏習合がなされていた。天皇家でも仏式を一部取り入れたのは天武天皇のときです。

また、明治維新前後の廃仏毀釈にしても、むしろ政治イデオロギーとしての国学の復興が外来宗教に敵対した社会現象であり、仏教はその後も滅びず、神仏習合はいまも維持されています。

渡辺　確かに蘇我氏と物部氏の対立も起きていますが、日本の場合は渡来してきた仏教側も巧妙で、日本の神々を弾圧するのではなく、「神」の本来の姿は「仏」であるとする「本地垂迹説」を唱えた。私はこの創作は大したものだと評価しています。

宮崎　逆に言えば日本の場合、そもそも政教分離などという理念が必要なほどの宗教戦争も大量虐殺も、信長を除いては、起きなかったという理由もあるかもしれません。

ホモサピエンスの歴史に目を転ずれば、食糧や縄張りの奪い合いから、人種的迫害、宗教的対立によって民族浄化、ジェノサイドがしばしば行われました。

しかし大陸部から切り離され、最初は狩猟民族であった原日本人の縄文時代には、狩猟採集による生活が営まれたにもかかわらず、段丘に集落を作り共同作業が行われ、しかも他の集落とは戦いではなく物々交換で相互に共存繁栄を追求しました。

交易による経済的分業と共存の長期化、つまり「一万年の平和」を達成した縄文日本は世界史的にいえば特異な存在です。地理的に孤立した日本では弥生時代に戦争がしばしば起こったとはいえ、人種対立による内戦はほとんどなく、宗教対立による内戦の最大規模のものは、はるか後期、江戸時代の天草四郎（あまくさしろう）の乱くらいでしょう。

渡辺　しかもヨーロッパではウェストファリア条約ができたものの、政教分離がすぐさま達成されたわけではありませんでした。

やはり宗教勢力が政治権力に近づくという動きはいまだに続いている。ローマ教皇フランシスコも宗教的権威を政治に持ち込もうと画策してますよね。

宮崎　非常に政治的です。だいたい、バチカンは近年、中国市場を狙うためあからさまに北京に異常接近し、共産党公認のキリスト教教会の司祭任命を追認したりと目にあまります。これは共産党から弾圧されているため地下教会で秘かに信仰を続けている真面目なキリスト教徒を切り捨てる愚行です。

そもそも現在のローマ教皇はイエズス会出身ですね。

また、台湾と断交し、再び北京と国交を結ぶのではないかという観測も流れています。香港弾圧にしても、バチカンと香港は香港がフランシスコ会の縄張りだということで関係が深いにもかかわらず、沈黙しています。

戦争を見るうえでも「宗教」は重要

渡辺　宗教勢力の動きは国際情勢を見るうえでも歴史を見るうえでも非常に重要なファクターです。このことは多くの歴史学者が指摘しているにもかかわらず、先の戦争の解釈になると見逃している。

一九三七年から三九年にかけて日本と中国は泥沼の長期戦に突入しますが、当時中国には蔣介石の国民党とソビエトの共産主義勢力のほかに、米国からやってきた宣教師団体がありました。彼らにとっては中国は巨大な「マーケット」でした。三七年には長老派の宣教師だけで二五〇〇人もいたといいます。そして日本嫌いの中国人の心情に気づくと、それに乗じて日本を批判する立場に立った。ロックフェラー財団、ＹＭＣＡ、ＹＷＣＡなどの組織から提供された豊富な資金をもとに、蔣介石を擁護し日本を徹底的に叩くプロパガンダをアメリカ本国に発信し続けた。

一九三七年はアメリカの対日輸出が対中輸出のおよそ六倍（対日：二億八八三七・八万ドル、対中：四九六九・七万ドル）の時期だっただけに実業界としては日本とうまくやりたかった。しかし、それを宣教師たちが本国の組織に働きかけて覆してしまったのです。

したがって、日中戦争史を考えるうえで、宗教はものすごく重要です。南京大虐殺の虚構も宣教師団体の反日プロパガンダが生んだと言って良い。

宮崎　ジョン・マギーという有名な牧師が東京裁判でした出鱈目（でたらめ）な証言は有名ですね。日本軍による南京虐殺の実態を証言するのですが、本人が直接目撃したのは一件しかなくほかはすべて伝聞にすぎない。その一件も日本兵に誰何（すいか）されて逃げた中国兵を射殺したというものです。しかしこの証言はいまでも中国共産党が宣伝文書に利用しています。

当時ドイツのシーメンス社社員ジョン・ラーベなども南京の安全区にいましたが、滞在していた外国人のリストが出てきた。なんと一四人のアメリカ人は全員が宣教師だった。反日プロパガンダを展開した中心にいたのがラーベです。

渡辺　一九二九年に蒋介石はキリスト教に改宗します。宗教勢力は使えると思ったのでしょう。ああいう先を見た動きというのは中国人は大したものです。南京問題については、東中野修道（ひがしなかのしゅうどう）先生（亜細亜大学教授）らが丹念に原資料を当たって研究してくれました。頭が下がります。

宮崎　蒋介石が本妻を捨てて宋美齢（そうびれい）と一緒になったのもその一環でしょう。宋美齢は英語を使えたし、キリスト教徒です。子供のころから米国に渡り、大学はウェルズリーです。あのヒラリー・クリントンも学んだ米エスタブリッシュメント御用達の女子大学。その宋美齢が得意の英語を駆使してルーズベルト以下のワシントン要人を丸め込み、アメリカ社会に同情心を喚起できなかったら、蔣介石の対日戦略は大いに違っていたはずです。

　ところで、中国には蔣介石別荘というのがたくさんあって、じつはこれみんな宋美齢の持ちものなのですが、行ってわかるのは夫婦別室なのです。お風呂も違う。つまり夫婦関係はなかった。典型的な偽装結婚ですよ。

信長は「政教分離」を進めたのか？

宮崎　ところでウェストファリアと比較して、日本での政教分離の起源を信長に求める人が多い。比叡山焼き討ちが決定的だと言うのですが、疑問があります。
　信長は南蛮から来た伴天連を活用し、既存宗教に論争をさせ、さもキリスト教徒のように振る舞った印象を付帯しますが、信長は耶蘇教を巧妙に利用しただけでしょう。信長自身は法華宗の信者と言われる。しかしだからといって、比叡山が本山である天台密教を敵にしたかというと、べつに敵にもしていないし、石山本願寺と長らく争いながらも最後は和解する。だから「宗教」排除といっても徹底してないじゃないですか。むしろ、明智光秀が切支丹伴天連の日本侵略の野望を早くから見抜き、文化防衛の立場から信長の布教容認に危機意識を抱いていた。

渡辺　信長は宣教師ルイス・フロイスが来たときにも、キリスト教は日本に数ある宗教のなかの、もう一つなのだからいいじゃないか、と許しています。最終的には徳川幕府が禁中並公家諸法度や寺社諸法度を定め、宗教が世俗権力に近づくことを禁じました。これはそれまでの不文律を文書にしただけで日本には宗教を政治に近づけると危ないという感覚は昔からあった。

日本の信長、秀吉、家康につながるライン、もっと言えば、仏教伝来のころから、やはり宗教勢力の危険性を日本の為政者は気づいていたのでしょう。

宮崎　それはたとえば、加賀（石川県）をみても、十五世紀に一向宗（浄土真宗本願寺教団）が富樫一族を滅ぼして以来、約一〇〇年間一向一揆の国だったことからもわかります。それがおそらく日本史上唯一の宗教コミューンですよ。その脅威というのは、現代人にはちょっとわからないだろうけれども、相当のものだったと思います。突然、宗教だけの国ができるのですから。

渡辺　家康も三河一向一揆でずいぶん苦しんだ。あわや命を落とすところでした。

宮崎　ですから信長が政教分離したという近現代史家たちの後知恵は、過大評価じゃないですか。

渡辺　日本の宗教はそれほどではないにせよ、世界の宗教勢力の権力への意志は飽くなきものがあって、信長は寛大に処したけど、それに宣教師たちは甘え、というよりも日本をスペイン的な政教一致の国家にできると見誤ったのでしょうね。

日本人女性を奴隷にしていたイエズス会

宮崎　信長がイエズス会の布教を許可した結果、キリスト教を信じた高山右近（たかやまうこん）は一神教原理に基づき、領内（高槻（たかつき））の神社仏閣を破壊し、僧侶を殺害し、仏教信徒を奴隷に貶めて耶蘇教の船とともに寄港した南蛮の人身売買団に売った。

イエズス会が「イエズス軍」という性格を併せ持ったことは拙著『明地光秀　五百年の孤独』（徳間書店）のなかでも書きましたが、大航海時代の日本人奴隷についての裏面史を丹念に調べ上げたのが、『大航海時代の日本人奴隷』（ルシオ・デ・ソウザ著、岡美穂子（おかみほこ）訳、中央公論新社）です。秀吉が発令した、のちに鎖国の前哨（せんしょう）となるキリシタン追放は、この宣教の陰に隠れた闇商売に怒りを発したことが最大の要因だったというのがわかります。

スペインの教会に残る婚姻記録などから、最初の東洋人奴隷の消息がわかるのは、早くも一五五一年だといいます。

種子島への鉄砲漂着は一五四三年だから、まだ信長の出現はなく、南の島々には、海賊に加えて奴隷商人も出没していたことになります。

前掲書の調べでは、一五七〇年代には奴隷が夥しくなり、名前から判断して日本人と推察できるといいます。これは信長が切支丹伴天連の布教を大々的に認めた時代に合致します。そして、その後の研究でも奴隷の出身地が豊後に集中している記録がある。

これまでの説では伴天連大名として有名な大友宗麟の大友氏が積極的に領民を売買してきたとされましたが、薩摩との戦闘に敗れた大友氏の領内から薩摩藩士が拉致し、マカオから来ていた奴隷売買船に売り渡したのではないかと推測しています。

ゴアからマラッカ、マカオ、そしてマニラが重要航路で、イエズス会の影響が強かった。

天正少年使節の遣欧団はヴァリアーノ（イエズス会宣教師、法螺吹きの一面があった）の斡旋でポルトガル、スペイン、ローマを訪問した際に、各地で彼らは日本人奴隷を目撃している。なかには売春窟に売られた日本人女性もいたといいます。

「一五六〇年代に来日した多くのポルトガル船は女性奴隷を乗せて出港し、彼女たちはマカオへ送られた後、さらにマラッカやゴアまで運ばれていった」

その後、ポルトガル、スペインに残る教会の記録にも夥しい日本人が発見された。

「一五七〇年代の後半には、ある程度まとまった集団的な（日本人コミュニティの）観察が可能なほどに、リスボンには日本人や中国人が居住していた」（同前）

イエズス会は表面的には奴隷貿易に反対したとされた。しかし「イエズス会は奴隷売買のプロセスにおいて、紛れもなく一機能を担っており、それを秀吉は見逃さなかった」と書いています。

伊達政宗は利用されたのか？

宮崎　同書のなかでもう一つ興味深いのは、イエズス会のなかにはポルトガルを追われたユダヤ人の改宗者が大量に紛れ込んでいたということです。初期のころ、彼らが奴隷を購入し、家事手伝いなどに従事させた。そして改宗ユダヤ人が宣教使節にも出自を偽って紛れ込んでいたそうです。

これは東北大の名誉教授の田中英道氏の説ですが、宣教師のルイ・ソテロも改宗ユダヤ人だったといいます。コロンブスがそうであることは私も知っていましたが。

しかも、そのソテロは伊達政宗をおだてて支倉常長を日本国王代理として、スペインに送り出したフィクサーだったというから驚きです。一六一三年、伊達政宗は遣欧使節を仙台の港から送り出し、支倉一行はスペイン国王、ローマ法王に拝謁しています。その際「国王」と名乗らせたのもソテロの捏造だと。

従来説ではこの接触を伊達政宗がスペイン軍と組んで徳川幕府を転覆する計画があったとされていたので、真逆です。政宗はあわや改宗ユダヤ人高僧に手繰られるところだった。

渡辺　興味深い説ですが、ただ支倉常長のスペイン行きは、家康の了解のうえで行われたものですからね。政宗が利用したのかされたのかは別として、家康としては三浦按針をうまく使ったように、異教徒をコントロールした貿易振興策というのを考えていたのだと思います。按針は、支倉の乗ったサン・ファン・バウティスタ号の建造に関わっています。按針の関わりを家康が許したのですから、支倉の派遣は家康の事業であったと考えてもよい。この船のレプリカは釜石にあります。先の津波で被害にあい、私が訪問したときには乗ることができませんでしたがいまは再開しているようです。

いずれにしろ一六三七年に島原の乱が起こる前の徳川政権というのはそうで、単純なキリスト教排除という方針ではありませんでした。

実際、将軍職を秀忠に渡したのちも、外交問題については家康が駿府でずっと握っていました。だから家康はスペインから最先端の精錬技術をもってきて貨幣の流通量を増やそうとしたのです。これはこれまで議論した貨幣論あるいは中央銀行をめぐる議論とも関連しますが、家康は早い段階で貨幣発行益（シニョリッジ）に気づいていた。

宮崎さんが伊豆に来られたときに伊豆金山の一つ（縄地金山跡）をご案内したことを覚えていらっしゃいますか。あそこは家康が重用した大久保長安が開発した金山でした。家康は、天下統一して発展が見込まれる経済を見据えて、貨幣量を増やしたかったのです。経済成長にみあった量の貨幣は安定供給されなければなりません。貨幣供給の過程で莫大なシニョリッジも期待できます。そのためには優れた貴金属精錬技術を持つスペインに近づく必要があった。そしてニュースペイン（メキシコ）との貿易も振興させたかった。しかしこういう家康の優れた外交を日本の歴史では教えません。経済学的視点を欠いているからです。

秀吉の外交についてもほとんどの歴史書の理解は表層的です。

宮崎　秀吉の朝鮮出兵も、フィリピンを拠点として日本を侵略しようとするスペインをはじめとした列強を押さえるための予防的先制攻撃だった。だから秀吉もキリスト教の布教には規制をかけても、貿易だけはやった。完全に禁教にするのは家康のあとの代で、家康は三浦按針やオランダ人のヤン・ヨーステンから海外情報を得ていました。

島原の乱の正体はカソリック対プロテスタント

渡辺　島原の乱とその歴史的背景については宮崎さんとの前著『激動の日本近現代史１８５２―１９４１』で詳しく論じているので、本書では一点だけ指摘すると、島原の乱は幕府の弾圧に対するキリスト教徒の反乱ではなく、その背景には、ポルトガルとオランダの対立、すなわち、カソリック対プロテスタントの信仰をめぐる戦いがあった。島原の原城に立て籠(こも)ったカソリック教徒を攻略できたのはオランダ船からの艦砲射撃があったからです。このことは海外の歴史書にははっきりと書かれていますが、進歩史観に立つ歴史観にはそぐわない。だから日本の学校教育からは抹殺され、「野蛮な徳川幕府が可哀そうなキリスト教徒を虐殺し弾圧した」という語りになっています。島原の乱は一六三七年に起きています。先ほどお話のあったカソリックとプロテスタントが血で血を洗う戦いを繰り広げた三十年戦争の真っ最中ではありませんか。島原の乱は三十年戦争の日本における局地戦であったとも解釈できるのです。世界史を知らずして日本史は語れない好例です。
また、スペイン統治により、フィリピンはカソリック教会が国の隅々まで支配するシステムを構築し、米西戦争でフィリピンを獲得したアメリカはそれを改革するために強硬な手段に訴えなければ、フィリピンの民主化はできなかったことも同書で指摘しました。当時のカソリック教会の実態がどんなに恐ろしいものだったかの教訓です。このことはヨーロッパ世界における宗教戦争の歴史を知らないとなかなか理解できません。
南米でカソリックがいったい何をやったのかという実態を日本人はまず知りませんよ。

宮崎　カソリックが南米住民に対し病原菌をばらまき、大虐殺した事実が広まってきました。だいたいマヤ、アンデスの文明を滅ぼしたのだから、大罪じゃないですか。ようするに人の国を盗んで南米全部カソリックの国に塗り替えてしまった。

渡辺　しかもカソリック国にするための戦費は南米から持ち出した銀を用いたというのだから酷い。

宮崎　しかし日本ではいまだにキリスト教徒が一％超えないことからもわかるように、当時の日本人は非常に賢明だった。明治の廃仏毀釈も、宗教対立というより国家イデオロギーとして神道の政治利用が優先され、むしろキリスト教の再上陸への対応だった側面があります。

それゆえ大東亜戦争の敗北で、ほかの敗戦国に見られたようなキリスト教への雪崩を打ったような改宗現象も日本では起きなかった。

GHQの占領時代にマッカーサーは数千の宣教師を日本に招いて切支丹伴天連への宗旨替えを強要しようとしても、日本の自然信仰がそれをはねのけたのです。切支丹伴天連が絶対神であり、ほかの価値観を認めない狭窄性を帯びていることを日本人は本能的に知っていたのでしょう。

現代のメッテルニヒはキッシンジャーか

宮崎　ここまで日本とヨーロッパにおける政教分離の実状の歴史を見てきたわけですが、戦後、ウェストファリアに匹敵するものは何かについて考えると、現代にウィーン体制を蘇らせたキッシンジャーではないか。

ご承知のようにウィーン体制とはオーストリアの首都ウィーンで外相のメッテルニヒが議長となって行われた国際会議のことで、ナポレオン戦争後に乱れたヨーロッパの秩序を回復させるため開催されたものですが、一八一四年九月から翌一五年六月まで、だらだらと続いたことから、「会議は踊る、されど進まず」という有名な揶揄があります。しかし、これにより実際ヨーロッパに「バランス・オブ・パワー」、「キープ・バランス」がもたらされたのも事実です。

つまり、常に国際的な会合をやる、常に国内的な権力の現状維持を図る、そうすれば秩序は保たれる。それで大変革、大戦争を起こさない。

具体的には核兵器の使用制限と核拡散を定めた核拡散防止条約、それから中距離核弾頭廃止条約（ＩＮＦ）。だから小規模な地域的な紛争はあっても大規模な世界戦争にいたるものはない。その世界戦争を避けたのは、これはやっぱりキッシンジャー的叡智（えいち）であって、その原点はどこにあるかというとメッテルニヒです。

こうした認識が戦後の日本のリアリストと呼ばれている政治学の根底でしょう。高坂正堯（こうさかまさたか）氏とか、永井陽之助（ながいようのすけ）氏がそうでしょう。そういう意味では日本の国際政治学も発展していない。

しかし、ここにきて中国の核武装参入によって核拡散防止条例体制が崩れかけている。そこにインドが入り、パキスタンも核武装し、北朝鮮は「核武装国家」を宣言しそれを世界にも認めろという。米露は中国を念頭にＩＮＦ条約の破棄を円満に決めた。

経済体制で見てもＩＭＦだけでは足りなくなり、ＷＴＯのルールも中国が平気で違反し機能不全に陥っている。

ようするに政治的経済的国連的世界秩序がほとんど破綻しかけている。
つまり、次のメッテルニヒが必要だということです。それができなければ、やはり世界大戦の危機というのは避けられないのではないでしょうか。

宗教が跋扈する中東

渡辺　第二章で論じたネオコンの問題ですが、アラブの春で明らかになったのは彼らのイスラム教に対する無知ですね。そのため、非常に混沌としています。しかもこの混乱は永続的だと見てよく、今後も世界史の攪乱要因になるので、「宗教」から見た中東の勢力図を整理しましょう。

宮崎　日本人にとって中東がわかりにくいのは、イスラムに対する理解が低いことと合わせて、中東諸国がいわゆるネーション・ステート（国民国家）ではないからです。国境も中東の地政学を無視したヨーロッパのサイクス・ピコ協定（第一次世界大戦中にイギリス、フランス、ロシアの三国が大戦終結後のオスマン帝国の領土分割や勢力範囲を取り決めた密約）で押しつけたものに過ぎず、それによる混乱が今日まで残っています。そもそも中東世界の人々は国境という発想が希薄です。むしろ宗派でまとまっている。

渡辺　そういう意味ではないでしょうか、国民国家といえるのは。人口の九割がアラブ人で、かつスンニ派です。

宮崎　スンニ派とシーア派の対立は有名でも、両派の違いもわからなければ、両派の対立がキリスト教やイスラエルとの宗教戦争同様に根深く歴史的な対立であるということも、日本人には知られていません。

　それでいてイスラム教の大きな特徴に、キリスト教や仏教のように「聖」と「俗」をわけず、政治や経済、法律といった日本人からすれば俗界に属するこの世のすべての事柄が宗教の対象となり、妥協の余地がほとんどないため全面的な対立になる。しかも、殺し合いをするほど激突しながら、心の奥底ではイスラム教徒としての連帯意識が強いので、日本人にはますます不可解です。

渡辺　イランも比較的国民国家に近いですね。言語がペルシャ語で統一されていて、九三%がシーア派ですから。ただ民族的にはペルシャ系が六五%と統一されていませんが、民族対立はほぼありません。

　サウジはほとんどスンニ派なのですが、シーア派もいて、しかも東部の産油地に多いのでややこしい面がある。

宮崎　そのイランはいま国内で抗議デモが起きています。つまり狂信的宗教政権と、それを暴力で守る革命防衛隊の「政府」を、イランの民衆がいかに思っているかを象徴しています。

軍が抗議デモに発砲し、一五〇〇名が死んだと報じられた。まるでイラン版「天安門事件」です。

イランのインフレ、じつはものすごいことになっています。賃金は上がらず、若者に職はなく、物価だけが暴騰を続け、ついに民衆はテヘラン政権の無能に怒りを爆発させた。対米戦争を言う前に、我々の生活をナントカしろ、というわけです。そこへ「武漢コロナ」。イラン人の死者も夥しい。中東におけるダントツの感染者がイランでした。

それから、これまで問題視されたことがありませんでしたが、イランの人口動態の激変ぶりが露骨です。少子化が急速に進んでわずか三年前の四分の一、五年前の五分の一、つまりイラン人が子供を産まなくなったのではなく、生活苦で子供を作れなくなったからです。

渡辺　イラクは多数派のシーア派と少数派のスンニ派が混在して、クルド族も多いです。クルド族は独自の言語を持ち、イラクの周辺国であるシリアやトルコやイランにも多い。彼らは少数民族ですが、油田地帯に居住地域を持つので動向は重要です。

中東ではイラン、イラク、サウジの情勢を見ることが非常に重要です。それと中東のあらゆる宗教対立を抱えるシリアは中東の攪乱要因になっています。スンニ派対シーア派、アラブ対イスラエル、ペルシャ民族のイラン対アラブ民族、キリスト教とアラウィー派（シーア派に起源を持つ秘伝の教義はシリアの諸宗教の混交といわれる）の蜜月など（『コールダー・ウォー』）。

イランの国内情勢ですが、イラクに入っていた革命防衛隊のカセム・ソレイマニを米軍が殺害しました（二〇二〇年一月三日）。それに対してイランはイラクに駐屯する米軍基地にミサイル攻撃で復讐した。日本でもアメリカでもリベラル系論客のなかには、すわ第三次世界大戦が始まる、トランプの責任だ、と嬉しそうに大騒ぎする者がいました。しかし彼らの期待に反してイランの動きはそこで止まった。ご指摘のように、イラン国内の一般民衆のイスラム原理主義政権に対する憤懣は途方もなく強まっている。

あの事件のあとテヘランで起こったのは反米デモではなく反政府デモでした。インターネットでテヘランの当時の様子が流れましたが、抗議活動に出た民衆が道路に描かれた星条旗を踏むのを拒否していました。トランプ大統領は、イラン政府は自国民を虐殺するなと強く警告しています。トランプ大統領の軍事行動には、戦争をしないための戦いは厭わないとして断固とした決断を下しますが、同時に全面戦争は望まないという意思を相手側にはっきりと伝えてもいます。

トルコの野望

宮崎　トルコは一応民主国家ですが、エルドアン大統領はイスラム主義に急傾斜しています。二〇二〇年に入り、そのトルコがリビアに介入し、中東の勢力図が塗り替わる予兆があります。

リビアがどうなっているか、じつに日本の関心の埒外にありますが、リビアはカダフィ時代に「緑の革命」を標榜し、日本も大手ゼネコン多数が進出してインフラ工事を請け負っていた国です。こうした関連でリビア内戦のおり（二〇一一年）、日本はカダフィの在日資産三五〇〇億円を凍結しました。

もっとも積極的にリビアに進出していたのは旧宗主国イタリアではなく、中国でした。内戦勃発直前、中国企業はなんと一〇〇件のプロジェクトをリビアで展開していたほど。労働者三万六〇〇〇人がリビアにいて、彼らのエクソダスのため、中国は航空機、フェリー、バスをチャーターし、大輸送作戦を展開したことはいまも語り草です。

リビアはいまでも日量一〇〇万バーレルの原油を生産しており、バイヤーは、イタリアを筆頭にフランスなどのＥＵ諸国。

二〇一一年にカダフィが暗殺され、内戦状態はさらに激化、武装勢力の三つ巴（どもえ）の激しい内乱が続いていましたが、南の砂漠にいた勢力は衰退し、二〇一四年になると、西のトリポリ、東のベンガジで武装勢力は二分化された状況となっていた。武器はロシアからも、米国からも、ＮＡＴＯからも。そして謎の経由地を経て中国製武器も大量に見つかっています。

二〇一五年、国連の仲介で西のイスラム主義のトリポリ「政府」と東の世俗主義の「ベンガジ政府」を名乗る武装勢力（ＬＮＡ＝ハリファ・ハフタル司令官）が嫌々ながらも、会談に応じ、とりあえず暫定政権をトリポリに置き、ファイズ・シラージュ政権をリビア合法政権とすることが決められた。これは国連の決定です。

しかし東側のハフタル司令官は納得せず、武闘が再開され、激しい戦闘が繰り広げられ、数千人の犠牲が出ています。

ハフタル将軍率いるベンガジを支援するのがサウジ、エジプト、ＵＡＥ、そして、フランスが背後に暗躍、プーチンも背後にいる。

一方、トリポリを支援するのは国連が認定した合法政権だから、公然とイタリアは支援しています。しかしトリポリ政府は武装が脆弱（ぜいじゃく）で、いずれ反政府武装勢力を糾合したハフタル司令官に乗っ取られる危険性もなくはない。

もともとリビアは部族国家で、南西部にはベルベル人がいるし、ベンガジは元国王の出身地、トリポリ政府など認めるはずがなかったのです。

するとと、二〇二〇年一月四日に事態が動きました。トリポリの陸軍士官学校が襲撃され、二八名が死亡する事件が起きるとリビアは惨劇があちこちで繰り返され内乱状態になった。しかし国連は安定、妥協を呼びかけるだけで、関心事はイランに移っている。

そこに割り込んできたのがトルコです。

サウジ、UAE、エジプト、ロシアが支援するハフタル武装勢力の頭越しに、エルドアン大統領はトルコ軍をトリポリに向かわせた。トルコはトリポリ沖合に油田の採掘権を有しているからでしょう。いずれにせよ、これで昨日までの構造分析、政治の方程式は通じなくなったと言っていい事態でしょう。

錯綜する勢力図

渡辺　イスラエルですが、ロシアがイスラエルの敵国であるイラン、ハマス、シリア・アサド政権を支援していてイスラエルとの関係は複雑ですが、うまくやっていますね。

もっともイスラエルの人口の二〇%はロシア語を話していますし、年に約一万人の移民がロシアからやってきている。貿易額も多い。油田がなかったということも敵国に囲まれているイスラエルをロシアに近づけました。

したがって、二〇一四年三月のロシアによるクリミア併合でもイスラエルはロシア寄りの姿勢を見せています。

宮崎　イスラエル沖合に巨大なガス田（リバイアサン・ガス田）が発見され、いまではイスラエルも資源の輸出国です。そのうえプーチンのロシアの中東での存在感は日増しに高まっていますね。絶縁状態だったサウジとの関係もサウジの国王、皇太子がモスクワ詣でを繰り返し始めました。

また、イスラエルがロシアに急接近しています。

宮田律という「中東専門家」が書いた『黒い同盟　米国、サウジアラビア、イスラエル』（平凡社新書）の基調はトランプ批判ですが、逆に言うとイスラム世界から西側の介入を批判する視点があり、サウジの皇太子非難、イスラエルへの反発が前提にあるので、参考までに紹介します。

その見立てによると、トランプのアメリカ―ムハンマド皇太子のサウジ―ネタニヤフ首相のイスラエルの三国がイランを包囲するかたちで「非神聖同盟」ともいうべき「反イラン枢軸」が成り立っているとします。

したがって、サウジ王家を批判したジャーナリストのカショギ暗殺が皇太子関与とわかっても、米国はサウジに抗議せず、容認したかのような態度でサウジ擁護に動いた。

とはいえ、必ずしも一枚岩の頑固な団結状態にはなく、お互いが疑心暗鬼、鵺的政治、電光石火の秘密行動、そして駆け引きと謀略の確執、つまり腹黒い、陰謀家たちの衝突があり、離合集散のアメーバ状態が常態だという。

考えてみればイスラム過激派アルカイーダを誕生させたのはCIA特殊工作の結果であり、シリアにおける無政府状態とISの跳梁跋扈も、その連続的結果の連鎖にサウジが胴元となって巨額な資金を迂回ルートで出したからでしょ。

中東に混乱が続けば米国製武器が売れる。米国の軍需産業が潤うという図式は陳腐ですが、イラクのサダム・フセイン撲滅、リビアのカダフィ暗殺、エジプトのイスラム同胞団の興隆と没落の経過などを見ていると、中東政治は魑魅魍魎、陰謀たくましき謀略家しか生き残れないことはわかります。

爆発か安定か

宮崎　シリアの内戦は、結局のところアサド独裁体制を生き残らせた。欧米のアサド排斥は徒労に終わりました。中途半端な欧米の介入は不徹底で、曖昧(あいまい)で、軍事作戦としてはとても機能したものだったとは言えません。通常兵器による限定戦争の限界でしょう。

それゆえにISが一時期、活発なテロ活動で世界から三万人もの兵士と軍資金を集め、恐怖と独裁とリンチと、石油基地の制圧によって地域を制圧できた。イラクを拠点にした米国が空爆を行い、クルドを支援してISをようやくにして駆逐したと思ったら、この間隙(かんげき)を縫って鵺的な軍事作戦を進めたのがロシアでした。

そしてロシア軍機を撃墜して戦争寸前になったトルコもロシアとくっついて露骨な欧米離れを演じました。前述のようにトルコは鮮明にイスラム回帰に歩み出しています。

エルドアン大統領は賭(か)けに出た。ロシアから兵器システムを導入するまでに至って米国は激怒した。トルコは枢要なＮＡＴＯのメンバーだから、欧米の不安も増幅される。そのトルコが、米軍が支援してきたクルドへの攻撃をかける。トランプが米軍撤退を急いだあまりに生じた間隙を衝いた作戦です。

エルドアンの夢想はオスマントルコ帝国の再建であり、狂信者独裁のイランが夢想するのはペルシャ帝国の再建でしょう。接近しているロシアとトルコにしても、露土戦争でクリミアをとられたトルコがいつまでもロシアと冷戦状態でいられるはずはない。

その大混乱の中東に米中対立が加わる。日本政治はこの世界の激動にまったく追いつけないでしょう。

渡辺　この点については少し違う考えを持っています。私はシリアからの米軍撤退については米国内に蔓延(はびこ)っていたネオコン勢力の衰勢と切り離せないと見ています。ご承知のように二〇一六年の選挙でネオコンの推していたヒラリーがトランプに敗れた。ネオコンは大のロシア嫌いであり、ロシア囲い込み外交を進めていました。ロシアの鼻先のウクライナではネオコンの巨頭ロバート・ケーガンの妻ビクトリア・ヌーランド（ＮＡＴＯ常任委員次席代表）が反ロシア工作の先頭にたっていた。また、ネオコンは親米の傀儡国家を作るとして七つの国（イラク、シリア、リビア、レバノン、ソマリア、イラン、スーダン）をリストアップしレジーム・チェンジを狙っていました。この七つの国のなかでロシアが国防上最も重視しているのがシリアでしょう。

ロシアは、二〇一七年、シリアとの間で地中海に面するタルトゥース港の海軍基地の使用で合意しました（四九年間）。この二年前の二〇一五年九月には同じく地中海に面したラタキアの空港（フマイミーム空港）使用で合意している。極端な言い方をすれば、ロシアにとってのシリアの地中海沿岸部は米軍にとっての沖縄のような価値がある。

プーチン大統領は、ネオコン勢力が後ろに控えたヒラリー・クリントンが大嫌いでした。トランプの勝利でこの勢力が同政権からも共和党主流派からも放り出された。ビクトリア・ヌーランドなどはコンサルティング会社（Albright Stone Group）勤務で捲土重来を期していますが逼塞しています。ずっとそのままでいてほしいものです（笑）。

いずれにせよプーチンは、教条主義的に反ロのネオコン勢力の消えたトランプ政権とは腹を割った交渉ができると考えている。

トランプ政権はシリアについては、ロシアの「暗黙の」勢力圏であると了解したのではないでしょうか。そのかわりシリアの抱える諸問題の対処にも責任を持たせた。そのことは当然にシリアの後ろ盾になってきたイランの牽制についてもロシアに責任を持たせることを意味します。私は一月のカセム・ソレイマニ殺害についてもプーチンの事前了解があったのではないかとさえ思っています。

トランプを評価しすぎると批判されるかもしれませんが、彼の外交のほうがネオコン外交に較べたら圧倒的に「危険度は低い」。私は、トルコの動きについてはあまり重要視していません。中東は、ネオコンがぐちゃぐちゃにしたイラク、リビアなどの安定化には時間がかかるものの、将来的に徐々に安定化に向かうと思っています。またイスラエルに対して、その拡張主義に苦言を呈することができるのはトランプ大統領しかいない。イスラエルを支援する大統領の苦言だからこそイスラエルも聞かざるをえない。そういう意味で、今後の中東情勢をむしろ楽観視しています。中東が不安定化するとしたら、逼塞しているネオコン勢力が復活した場合でしょう。ここしばらくはそうした情勢にはありません。

宮崎　うーん、ちょっとトランプ大統領への期待が過剰な気がしますが（笑）。

第六章　世界史に学ぶ日本の問題

歴史修正主義を受け入れなければアメリカは危うい

宮崎　最後に日本の問題を世界史を参考に考えていきたいと思います。
　まずは歴史認識からいきましょう。

渡辺　ネオコンの論文を読むと、トルーマンドクトリン＝共産主義封じ込め政策をものすごく評価している。米国の戦後教育ではＦＤＲとトルーマンの進めた干渉主義的外交が是として教えられます。そうした教育を受けてきたネオコンが、トルーマンドクトリンを評価するというのは理解できるのですが、ウッドロー・ウィルソンが第一次世界大戦に参戦したことは正しかったのか、あるいはＦＤＲの強硬な対独、対日外交はあれでよかったのかといった内省的考察がまったくない。なぜアメリカは世界大戦を戦わなければならず、戦後共産主義国が台頭したかの原因にネオコンは考えが及ばない。歴史学会も、相変わらず歴史修正主義を抹殺して、問答無用で排斥する。
　私は著作のなかで繰り返し書いているのですが、やはりアメリカは歴史修正主義を受け入れないと最後は行き詰まると思います。非干渉主義でアメリカがヨーロッパの戦争に介入することに最後まで反対していたフーバーの警鐘をアメリカ外交にいささかでも反映させることです。フーバーは一国平和主義の利己主義者ではありません。彼は、防衛力は徹底的に高めたうえで、他国の見本となるような民主主義国家を建設すべきであり、他国から民主主義国家建設の支援を求められたときにこそ積極的に支援すべきだと主張したのです。

ヒトラーとスターリンは必ず戦うことになる、しばらくは外にいて、彼らがアメリカの助け（仲介）を求めるときに救いの手を差し伸べればよいと考えた。ところが、FDRは、一九三二年の選挙戦では、フーバー政権は史上最悪の無駄遣い政権だと詰り、フーバーを責めた。当選するや、今度は自らニューディール政策をとり、予算の大盤振る舞いを始めた。そのうえで世界の揉め事に関わる外交を「国際主義」の名で開始し、フーバーらの主張を利己的な響きを持つ「孤立主義」と言い換えた。本来ならFDRの外交は「干渉主義」、フーバーのそれは「非干渉主義」というべきなのです。

トランプ大統領が、フーバー流の非干渉主義に沿って外交を進めているのは間違いない。ただし、FDR・トルーマン外交をきっかけにアメリカは「世界の警察官」になってしまった現実が厳然とある。それを踏まえたうえで、どこまで非干渉主義的外交に舵（かじ）を切れるのかに注目したいと思っています。トランプの外交思想は日米安保条約の運用にも影響するでしょう。トランプが日本を捨てることはないと思いますが、韓国は違う。アチソン・ラインならぬトランプ・ラインで、韓国を防衛ラインの外に置くこともありえますよ。

いまはトランプ大統領だからいいものの、再びアラブの春のようなヒラリー外交に戻ることを考えるとゾッとします。もしヒラリーが大統領になったら、シリアで戦争が起きていたでしょう。ネオコン外交は典型的な干渉主義外交ですから。

核兵器の使用についての解釈ですでに議論しましたが、トランプとプーチンが協調できる外交を進めてくれれば、核兵器拡散に一定の歯止めをかけてくれるのではないかとの淡い期待があります。

すでに述べましたが広島・長崎への原爆投下はすべきではなかったと認めなくてはなりません。そうしなければ「核は理屈さえあれば使ってよい」というロジックの存在を暗に容認していることになるからです。

宮崎　実際、アメリカは朝鮮戦争やベトナム戦争でも核を使おうとしましたしね。

渡辺　また繰り返すことになる。しかし原爆投下は間違いだったことを認めれば、原爆使用を正当化できるロジックは一切ないという結論に持って行くことができるのです。

宮崎　それは共和党・民主党共通で、アメリカで歴史を学んでいる学者たちと話をしても、歴史修正主義など頭から認めないですから。議論はそこで終わり、という態度です。

その根底にはエリート主義があるのじゃないですか。愚かな大衆、世論を善導するのが自分たちの使命で、そのためには事実などいくらでも捻じ曲げていい。むしろ何が悪いという態度でしょう。

スタンフォード大学のトーマス・ベイリーは『市井の人々』のなかでこう嘯いています。

「大衆はひどく近視眼的であり、一般的にまさにそこに迫るまで危機を見通すことができないので、我々の政治家は、大衆を騙してでも、自らの長期的利益に気付くよう仕向けることを強いられる。明らかにこれがルーズベルト大統領のやらねばならなかったことであり、それについて後世が大統領に感謝しないなどと言えようか」

（『日本人が知らない最先端の「世界史」』福井義高から重引）

米中の代理人が活躍するのが日本のメディア

渡辺　ハーバード大学を筆頭としたアイヴィリーグの歴史教育はダメです。歴史修正主義はおろか、教科書に書かれてないことはもう議論する価値がないと本気で思っている。N

HKなどよくテレビに出ている「パックン」ことパトリック・ハーラン氏もハーバードで学んだらしいですがその典型です。それをNHKが嬉々として使う。

これはある意味では民主党的な外交を是とするアメリカのいわゆる第五列（狭い意味では、侵入軍に呼応する被侵攻国内の組織的活動集団をいうが、広くはスパイや対敵協力者を指す）を入れているのと変わりません。もちろん本人にはそんな意識はないし、アメリカの高校や大学で学んだことが正しいと心底思っているのです。先に話題にしたネオコンの女王ビクトリア・ヌーランドは、ハーバードのケネディスクールで「アメリカのこれからの外交」なる講座を持って学生を指導しています。「干渉主義的外交こそがアメリカ外交の王道だ」と説き、トランプ大統領を虚仮にした講義を展開しているのでしょう。ハーバード卒のインテリの頭のなかが透けて見えます。

宮崎　東大教授にロクなのが居ないように、じつはハーバード大学のなかには怪しい教授がいますし、先日（二〇年一月二十八日）摘発されたチャールズ・リーバー教授なんてエリートを中国に送りこむスパイの役割をしていたことがバレて起訴されました。だいたいアメリカの代理人と中国の代理人が活躍するのが日本の主要メディアじゃないですか。だから日本主義者や愛国者がメディアから排斥されるのは当然なんですね。ハーバード大学なんてプロテスタント教会の牧師養成塾がそもそもの出発点でした。

渡辺　私の主張などNHKは絶対に取り上げないでしょう。それからもう一点付言しますと東大法学部卒のエリートの方のなかには、教科書どおりの歴史観で歴史修正主義を見下す方が多い。

傲慢な言い方かもしれませんが、東大法学部卒に代表されるエリートであっても、歴史問題についてだけは、少しでもいいから歴史修正主義の本を読まれてから発言されたほうがよい。もちろん、ハーバート・フーバー元大統領の残した『裏切られた自由』を読むのが一番ですが。

近現代史についての意見を高校で学んだ知識をベースに開陳したら、周りが鼻白むだけでなく、たちまち反論され恥ずかしい思いをする時代になりますよ。世の歴史観は「歴史修正主義のほうが正しいかもしれない」という風潮にゆっくりとですが変わっています。

宮崎　法学部というのは法律解釈の議論を延々やってるから法学部なんでしょう。エリートしか東大法学部には入れないし、出たらみんな日本のトップの官僚になるから、なんというのかパラダイムが視野狭窄になるのでしょうね。

渡辺　疑ったら人生設計が成り立たない。

宮崎　疑ったらアウトローで暮らすしかない。官僚にはなれないし、教授にもなれない、メディアにも行けない。そうするとしがないメーカーにでも行くしかないんですよ。

「復讐権」を考えられなくなった戦後日本

渡辺　私は以前東大法学部卒の弁護士に「復讐権」は存在する、という議論をふっかけたことがあるのですが、「考えたこともない」と言われ議論にならなかった。これは大事なポイントで、復讐権を固有の権利だと認めたうえで法律を作っていくのと、復讐権はないのだという前提で法律を構築していくのとでは全然違う。

私は忠臣蔵じゃないけど、やはり復讐権は存在する、という立場を取りたいのです。そうでないと殺人をした犯罪者が精神鑑定だとか少年法だとかいろんなファクターを持ち出して、すぐに更生の時間を与えよという議論になる。しかし復讐権が存在するという立場をとると、被害者の復讐権はあるけれども、それを国家が取り上げている。だから国家は復讐の代行行為としての量刑を定める。犯罪者の更生作業に入るのは、恨み解消のあと、つまり復讐の気持ちを抑えることができる程度の量刑を加害者が済ませたあとです。この順番が大事です。

なんでこんな話をしたかというと、原爆の問題にもつながるからです。アメリカが絶対に日本に原爆を持たせるわけがない、と私が考えるのは、アメリカは復讐権が存在すると思っている国だからです。もちろん法律では復讐は許されていませんが、国民の心には復讐権は国家に取り上げられたと思っている。したがって、アメリカに原爆投下できる復讐権を持っている日本には絶対核を持たせるはずがない、と私は考えます。だから日本の核保有論者は復讐権のファクターを考慮しながら戦略を立てなければ実現性はない。私も日本は核保有をしたほうがいいとは思いますが、復讐権の存在を認めるかどうかで日米には隔たりがある。そうなると最終的には核シェアリングくらいしか落としどころがないのではないのか。

宮崎　私が前から言っているのは、日本は機密がない国だから、国家機密で核兵器を開発することもできない。だからパキスタンから買う、インドから分けてもらう、その代わり日本からの借金は棒引きする。場合によっては北朝鮮から買う。

渡辺　（笑）。

宮崎　いやそれしかないですよ。それが外交というものでしょう。

　復讐権といえば、一九七二年のミュンヘンオリンピックのときにイスラエルの選手村が襲われ一一名のユダヤ人が殺された（黒い九月事件）。そのテロリストの拠点をイスラエルはすぐ空爆したんだけど、その後じつに一〇年かけてテロリスト全員を割り出して殺したでしょう。つまり、ユダヤ人は復讐を認めてる。アメリカも当然認めるんじゃないの。

渡辺　だからこそ怖いわけですよ。

宮崎　日本はね、認めないんですよ。戦後のこの風潮を見てください。日本映画で大ヒットした作品が一つあります。緒方拳主演の『復讐するは我にあり』（笑）。

渡辺　いくら言ったところで、日本で復讐権とは何か考える人はなかなかいないでしょう。しかし反対に復讐権を固有の権利だと信じている民族に野蛮だと言っても、わからないですよ。

江戸期までは日本には復讐権が認められていた厳然とした歴史があります。復讐の物語はたくさんあります。復讐物語にとりわけ興味があるわけではないですが、日本三大かたき討ち（曽我兄弟、鍵屋の辻、忠臣蔵）に関わる名所はずいぶんと歩きました。鍵屋の辻に残る茶店に我が渡辺家の家紋「三ツ星に下一文字」が飾られていて驚いたことがあります。そういえばこのかたき討ちの主役は渡辺数馬（わたなべかずま）だったと思い出しました。その後、鳥取にある彼の菩提寺（興禅寺）に行ってきましたが、彼の墓は荒れていました。一〇年ほど前のことなので、いまでは綺麗になっているかもしれません。

少し脱線しましたが、かたき討ちをする場合、奉行所の許可がいりました。姦通現場では、その許可も不要で「間男、切り捨てごめん」。復讐権の存在は日本文化に根付いていたはずなんですが。復讐権が残っていれば、芸能人の不倫も激減でしょう（笑）。

宮崎　忠臣蔵に関しては単なる復讐ではなく、藩の教育を山鹿素行（やまがそこう）がしたことが極めつけに大きいと思っています。が、この話は長くなるので、本書では措きます。

渡辺　アメリカの知識人は広島・長崎に原爆投下をしたことは間違っていたと本音では思っています。

宮崎　ベトナム戦争だって始めたのは間違いだと思っています。

ベトナム戦争の失敗が移民問題を悪化させた

宮崎　ベトナム戦争の結果、ベトナムから大量の難民を引き受け、アフガニスタンからも引き受けた。アメリカが勝手に使っていたラオスのモン族にしても一七万人ぐらい引き受けた。つまりベトナム戦争の不手際のために、移民を受け入れざるをえなくなって、移民構成に大きな変化をもたらした。リベラル的用語で言えば「文化の多様化」ということになるのでしょうけど、一般的に言えば「混乱」です。したがって、ネオコン前史としてベトナム反戦があります。

それはイギリスがインドからエスタブリッシュメントを移民で大量に受け入れざるをえなくなった事情とパラレルです。香港返還で二三万五〇〇〇人の上限枠を作りながらも受け入れました。これはやはり植民地主義の負の遺産で、それが本国において文化的に人口構成を変えて、多様化＝混乱をもたらしています。そこへいくと、日本に一〇〇万人ぐらい中国人が来たっていうけど、欧米諸国の移民比率に比べたらまだかわいいほうです。

渡辺　そうですよね。アメリカの黒人が、混血も含めてね、三六〇〇万人ぐらい、ラテン系が四〇〇〇万ぐらいいますから。

宮崎　アジアからの移民もどんどん入っている。フィリピンも多いしね。この人たちは移民してアメリカへ行ったってハワイとかカリフォルニアあたりまでで、東海岸に行くのはやっぱり中国人なんですよね。どこへ行ってもチャイニーズレストランがある。それから日本と縁もゆかりもない人たちがスシバーをやっている。

ベトナム戦争というのは、アメリカの干渉主義の最たるもので、あんな戦争始める理由は何もない。「反共の防波堤」などと、それこそ幻覚症状です。

渡辺　ベトナムのホー・チ・ミンはアメリカの憲法が素晴らしいと思っていた人間だから（笑）。彼はボストンやニューヨークに住んだこともあり、パリ講和会議ではパリまで出かけて行ってウィルソンにフランスからの独立を訴えてもいます。

宮崎　じゃぁアメリカのことを知ってるんじゃないですか。

渡辺　知ってますよ。あこがれの国アメリカからやって来た大統領が彼らに冷たかったことも身に染みている。フィリピン独立の英雄のエミリオ・アギナルドもアメリカの憲法に感銘を受けてアメリカを素晴らしいと思った一人です。アメリカはそのアギナルドもホー・チ・ミンも潰した。

結局、アメリカはフィリピンでもベトナムでもものすごく苦労している。自分の国の憲法を慕っている人たちがリーダーの国なのだから、もっとうまいやり方ができたはずですね。

宮崎　相手国の法なり行動原理なりを知っていないと見誤り、両国にとって災いをもたらす結果になる。それこそ悲劇で「ネオコン前史」と言えるでしょう。

愛国とグローバリズムは両立する

宮崎　グローバリズムがもてはやされたことで、人の移動が自由になって、多国籍化が進み、結局無国籍化した人間が増えた。

渡辺　まず自分の国があって自分の国を愛せて、初めて他の国を愛せるというステップがいわゆる「グローバリスト」に希薄なのが不思議です。

宮崎　希薄というか、もうないんですよ。

渡辺　ないかもしれないですね。子供たちが成長していくときに、親から愛情をいっぱい受けて愛される喜びを感じます。そして自信をだんだんつけてゆく（成長していく）自分を愛して初めて他者を愛せるわけでしょ。自分を愛せない人が他者を愛せるはずがない。それと移民の問題は同じです。日本を愛せるからこそ他国も愛せて、外国人と付き合うことができる。日本を愛せる移民は私は歓迎してあげたい。日本を愛せない日本人より素晴らしい日本人になる可能性を秘めています。

宮崎　現象的にいえばその象徴が村上春樹（むらかみはるき）の作品でしょ。主人公はたまたま日本人なのだけれども、日本のことを書いているわけじゃない。日本の根っ子、日本の風景がない。それがどうしてこんなに世界中で読まれるのか。ということは、若い世代に民族のアイデンティティや国境意識がないから飛びつくのじゃないかな。

渡辺　いや、その若い世代の人たちも普段意識してないだけで、自分が日本人であることと、この国で育ったのだということを、やっぱり誇りに思っているところはどこかにあると思いますよ。

宮崎　若者はサッカーやオリンピックとかスポーツ大会でそれを発揮するのでしょう。突然国旗を振り、「君が代」を歌いだす。

渡辺　私はセレモニーのとき国歌が流れたらすぐに立つんですよ、海外では常識だから。

セレモニーでもスポーツ大会でも国歌が流れるときは、全員起立して斉唱する。

ところが一昨年、東京競馬場に行ったら、たまたまカナダのウッドバイン（トロント郊外）という競馬場との交流を記念するレースがあって、カナダ公使だったか大使も臨席してカナダ国歌と「君が代」が両方流れた。指定席で座っていた私はさっと立ったのですが、他は誰も立たない（笑）。これっていいのかなと。

宮崎　「君が代」のときも立たないの？

渡辺　立たない。カナダ国歌のときも立たない。これは世界的に見て、少なくとも欧米文化圏からすれば、無礼な行為です。

国を愛することと、グローバリストであることは私は両立する概念だと思いますが、そう考えない人がグローバリストに多い。なぜ対立概念ととらえるのか私にはわからない。

宮崎　学校や親の教育現場がそうなのでしょう。私はよく皇居に参賀していたのですけれど、息子がまだ小学校一年生ぐらいのときに、息子と息子が連れてきた同級生と一緒に参賀したことがあるんです。もちろん息子の同級生はなんの意味もわからなくて遊びのつもりで付いてきたのですが、その翌日ですよ、相手の親が「そんなところに行くなんて」って騒ぎ出した。おかしいでしょう？

渡辺　おかしいですよ（笑）。

宮崎　それが、いまの教育現場の現実なんです。だから学校の行事でも国歌は歌わない。歌わなくてもいいということになっているのだから。

何でも「つながる」ネット世界の異常

宮崎　もう一つ感覚として激変したのは、国際結婚です。日本でも昭和四十年くらいまではものすごく抵抗があった時代があるのですが、いまはない。中国人とも黒人とも平気で一緒になって、周囲の目も気にしない。私の世代からすると驚くべきことなのですがね。中国でも一九九〇年代まであったけど、いまの中国人は平気で国際結婚するでしょ。

渡辺　ただ彼らは黒人は嫌いなようで黒人との結婚は少ないようです。

宮崎　しかし中国にあってすら都市部ではだいぶそれも薄れていますよ。嫁の来てがない奥地では誘拐まである。共産党はウイグルやチベットの女を強制的に漢族の男と一緒にさせたり。ベトナムから女を誘拐、もしくは人身売買で中国国内で売りさばいている。

それから中国の場合は里親制度があって、生まれてすぐの赤ちゃんを斡旋してアメリカに連れて行く制度がある。これも数がすごいです。

渡辺　そうでしょうね。中国の実態は私にはわかりませんが、里親制度自体はいいことだと思っています。やはりどうしても子供が生まれない夫婦もありますから。

すごく一般的な現象として誰も変に思わないかたちで、養子をもらってくるアメリカ、あるいはカナダの文化はそれなりに評価すべきだと思っています。

宮崎　それがヒューマニズムの裏返しみたいなところがある。

『ライオン　25年目のただいま』という映画を観て、これはグーグルの物語なのですが、いまの時代をものすごく象徴的に表している。

あるとき、三歳と五歳くらいのインド人の兄弟が知らない町に行き、兄貴は行方不明になって、弟は帰る道もわからない。弟が寝床にしようと潜りこんだ貨物列車で寝ているうちに、気づくと一〇〇〇キロ先のカルカッタ、いまのコルカタまで連れて行かれ、右も左もわからない。その後、少年の乞食グループみたいなところにまぎれ込むと、今度は少年狩りにあい、売られそうになったのをサッと逃げて、施設に保護される。

やがて弟は里親制度によりオーストラリアの夫婦が引き取ることになる。そこですくすく育って大学まで出してもらって、二八歳に成長したときにふとパソコンで自分のアイデンティティを求め、風景の記憶を頼りにグーグルアースで探しだす。一年間の探索の結果とうとう自分の故郷を見つけ、二五年目に帰郷を果たす。

そうしたらお母さんは生きている、妹は生きている。これは実話を映画化したもので世界中でヒットして、いい物語なのですが、「うーん、待てよ」と。里親が出てくる、国籍を平気で変える。そこにネットが入ってつなぐ、そういう世界なのだと。

二〇一九年に起きた香港の暴動を見てもあの学生たちの運動資金は香港ばかりか世界中からクラウドファンディングで集まる。こういうことはいままでなかったことですから。

グレタ・トゥーンベリという右も左もわからない少女が地球温暖化は危険だ、と訴えたらメディアは、すぐにそれをヒロインに仕立て、世界中にあっという間に広がる。こうした特殊な現象がますます加速して気がついたときには国境とか自分の国を愛するとか、若者からなくなっているのではないか。すごく危ない現象ではないかと。

渡辺 メディアは悪いですね。大人は子供を利用してはいけないというモラルの問題です。子供や女、老人といった「弱者」を使うのは効果的でプロパガンダの鉄則なのでしょうが。

宮崎 シリア難民も海岸線に打ち捨てられた少年の写真一枚で国際世論が変わったのはまだ記憶に新しい。

渡辺 半面トランプがイスラム諸国からの難民を一時認めないと言ったのは、ヒラリーの影響力の強く残っていた国務省の、難民スクリーニング作業があまりにもいい加減で、テロリストが紛れ込んでいる可能性が高かったからです。だからとりあえずいったん受け入れを止めて、その作業の厳格化を指示しただけのことです。ところがメディアは卑劣にもイスラム差別というプロパガンダで大バッシングした。もうプロパガンダマシーンでいいのだというような開き直りをメディアから感じます。

宮崎　日本でいうと、朝日よりも極端なプロパガンダマシーンは東京新聞です。

渡辺　あの女性記者（望月衣塑子）でしょ。彼女はジャーナリストではなく活動家ですね。菅官房長官の苦々しい顔を思い出しますが、じつはトランプ大統領に彼女風に噛みつく記者がいます。ＣＮＮのジム・アコスタ記者です。トランプ大統領は彼に対して怒りを見せながらもロジックで丁寧に反駁しています。こうした態度が、おとなしくするしかなかったアメリカの保守層を再び勇気づけたのです。日本では菅義偉官房長官の対応は一応評価されているようですが、あれでは日本の保守層の憤懣は溜まるばかりでしょう。「もっと言い返せ」と。

ＴＰＰは破棄でよかった

渡辺　貿易協定の話をしたいのですが、トランプの政策のうちで、ＴＰＰ（環太平洋パートナーシップ協定）を潰したというのは、これは日本にとって本当に素晴らしいことです

（笑）。

宮崎　同感です。

渡辺　保守派の大勢が反対するなかでＴＰＰについて私が賛成論者だったのは、対中政策としての評価です。米中衝突でいまでは明らかですが、ＴＰＰによる中国牽制の本丸は知的財産権だと私は書いて限定条件付きで賛成した。そうした識者は少なかったと思います。

ただ私が読み間違えたのはトランプが本当のちゃぶ台返しをしたことです。私は、彼は知的財産や国際紛争解決ルール部分についてだけは残したＴＰＰ交渉は継続させると思っていた。ところがＴＰＰのスキームすべてをご破算にした。私は、保護貿易論者ですからＴＰＰの自由貿易構想には反対でしたが、ＴＰＰで知的財産保護および国際紛争解決ルールの枠組み作りについてだけは進めてほしいと思っていた。それは安全保障問題にもつながる。これが限定的賛成の意味です。ところが、トランプはＴＰＰそのものを潰して中国とは「バイの交渉」つまり二国間交渉に入った。ＴＰＰ経由で中国を牽制するようなまだるっこしいことはせず、バイで進めて効果を出している。大したものだと思います。中国の知的財産の強制移転問題も是正が進んでいるはずです。中国はそうしなければ高関税を課せられたままになります。

宮崎　櫻井よしこさんのようにＴＰＰは安全保障の問題だと指摘していた人は日本にもいました。日本政府はそれよりも貿易拡大、グローバリズム、だからＴＰＰという三段論法で説明していた。

アメリカ抜きのＴＰＰ11で一応成立はしたけれども、あれは期待するほどの効果はありませんよ。

渡辺　効果ないですね。だから私は日本政府が知財についてベトナムとどう交渉するのか、知財で揉めたときや紛争があった場合の調停のメカニズムをどうするのか不安でした。ベトナムも知財の侵害では悪名たかいですから。関税率を下げる下げないはいつでも交渉できる話ですから。

宮崎　それならＷＴ０でできる。あるいは二国間協定でも何でもいい。いまはコンピューターでリストもすぐに作成できる。

渡辺　私は貿易の問題は、両国が納得できる保護貿易がベストだと思っています。そのほうが国内の産業界（利害関係業界）にも説明がしやすい。自由貿易はむしろ国内政治を混乱させるファクターになる。

宮崎　一九七〇年末の議論では、国際政治学者、自民党の御用学者たちは安い米が入ったほうがいいからと「米の自由化」にみんな賛成だったのです。日本の収穫祭である新嘗祭も天皇の御世がわりに行う大嘗祭(だいじょうさい)も「天皇のお作りになったお米と庶民の米を合わせて、五穀豊穣を願うのに、これも外国米にして伝統儀式の基本を崩していいのか」と言ったら、「ハッ？ 宗教ですか」と。この伝統・文化への無理解には唖然としました。

しかし、政府のネゴシエーターのなかには、米の自由化だけは段階を設ける、それから当面、外国米も自由にするけれど高い関税を維持する。これがいわゆる「保護貿易」で鎖国ではなくて、一部の品目を保護する。何でもかんでも保護するのでもないし、国の在り方とか存立条件として譲れないものはぜったい譲っちゃいけない。国家の根幹にあるものは守らなければいけないのです。

渡辺　やっぱり日本の教育が保護貿易と自由貿易を対立関係で教えているのが問題です。

自由貿易vs.保護貿易

渡辺　自由貿易の問題は、イギリスの穀物の自由化（穀物法）によって起こった歴史が教訓になります。アイルランドの大飢饉(ききん)が発生したのは、囲い込みをやって羊牧場だけになって、限界地でじゃがいもばかり耕作して食べていた。葉枯病によるジャガイモの不作のため十九世紀最悪の飢饉が起きました。

宮崎　一〇〇万人が餓死した「ジャガイモ飢饉」ですね。その結果、一五〇万人のアイルランド人がアメリカに大移動し、こんどはアメリカの低所得者層が怒った。これは渡辺さんが詳しく書いていますす（『日米衝突の根源１８５８―１９０８』草思社）。私もダブリンの博物館や美術館でそうした歴史を垣間見てきました。

渡辺　だから自由貿易と保護貿易という問題は経済上の損得で計算できるほど簡単じゃない。ところが日本では全部自由貿易で推進しようとしている。

宮崎　保護貿易は悪になっている。

渡辺　当然、トランプに対する理解がまったくない。ところが、トランプが保護貿易にシフトした途端にアメリカ経済が好調でしょう。いま中国経済が変調をきたしていますが、アメリカはびくともしていない。じつは一昨年（二〇一八年）に、私の使っている財務アドバイザーと中国経済について話したことがあります。彼が言うには、北米のアナリストは中国経済がある程度おかしくなることは織り込み済みだと話していました。株価（ダウ）はコロナ禍で調整局面が出るでしょうが経済の基礎体力はしっかりしています。対中貿易では高関税が既にかかっていたこともあり、多くのアメリカ企業がサプライチェーンについて再検討しています。中国からの部品調達が滞る企業も出ているようですが、心理的ショックは少ない。

保護貿易にするとアメリカ経済が好調になるのは南北戦争後の歴史が証明しています。南北戦争の結果、リンカーン政権が保護貿易にして、関税率を四八〜七〇％に上げてアメリカの産業（製造業）が大発展した。その歴史をトランプはリピートしているようなものです。しかし南北戦争を奴隷解放の戦争と教えているから、これがわからない。南北戦争の本質は、イギリスを後ろ盾にした南部の自由貿易主義者と北部の保護貿易主義者の戦いです。

南北戦争では六〇万人から七〇万人の若者が死んだ。当時のアメリカの人口というのは日本とほぼ同じで二五〇〇万から三〇〇〇万くらいです。いまのアメリカの人口で比率計算すれば六〇〇万人から七〇〇万人死んだ計算になる。それも働き盛りの男だけが。

宮崎　それだけの犠牲を払ってまで白人が黒人を解放するはずがない。

白村江の戦いは国土防衛戦だったのではないか

渡辺　少し話が飛ぶようで恐縮ですが、日本の白村江（はくすきのえ）の戦いも教科書が教えていることと実際におきていたこととは違うのではないかと思うのでぜひ宮崎さんのご意見もお聞きしたい。というのは、こうです。

六六三年、日本・百済(くだら)遺民の連合軍と、唐(とう)・新羅(しらぎ)連合軍が戦った「白村江の戦い」がありました。なぜ天智天皇(てんぢてんのう)が大軍を出す決断をしたのかというのがずっと不思議だったのです。日本が百済の王子・豊璋(ほうしょう)を人質にとっていて、それで百済の再興ために大軍を出したと。本当かなと。

当時の唐・新羅連合軍との戦いというのは国家存亡をかけた大東亜戦争に匹敵するような決断だったはずです。

結局、百済の遺臣と王子の間で仲間割れを起こし、そのこともあって日本は屈辱的敗北を喫した。天智天皇は、唐・新羅の大軍の攻撃を怖れて、奈良までの想定される侵攻ルートに沿って朝鮮式山城やら水城を作って大防衛網を構築している。その最後の砦(とりで)が高安城(たかやすのき)で、もうこの山を越えたら奈良という生駒(いこま)山系のなかに作られた。ここは信貴山(しきざん)ケーブルで容易に行けるので昨年（一九年）行ってきました。九州や瀬戸内海沿岸に城を作って唐の来襲に備えたのはよく知られているけれども、高安城までは知らない人が多い。奈良一歩手前のところです。そこにまで防衛拠点を作っていたことに驚きませんか。

百済再興のために天智天皇は軍を出したとあっさり教わってきたけれども本当にそうなのでしょうか？

宮崎　当時の朝鮮半島の南部というのはずいぶん日本人がいましたから日本領のようなも

のだった。最近の研究だと、『魏志倭人伝』における「倭」の意味は北九州の豪族による地域政権だけではなく、朝鮮半島南部を包括しての総称だったとされています。

渡辺 私が言いたいのもそこなんですよ。ようするに日本領を守るために白村江に出たのだと。そういうふうに解釈しないと、あの戦いの決断の速さが説明できません。

宮崎 防人を方々に配してね。重武装の自衛国家でした。そのあと壬申の乱で天武天皇が防衛策を引き継ぎ軍備を強化します。天武天皇の勅を思い出しますね。「まつりごとの要は軍事力なり」。

渡辺 だから宮崎さんがいまおっしゃったように、国家を守るために、領土や邦人を守るために兵を出したのじゃないかと思っています。あるいは失われた領土の回復運動だと考えてもよい。日本版レコンキスタです。

任那日本府がなくなるのは、白村江の前だとは思うのですが、当然そこにいた日本人がみないなくなるわけじゃないでしょ。

宮崎 残存するんですよ。連絡も必要だし。日本版レコンキスタというより、スペインの失地回復は「中東・南欧版の白村江」だ。

渡辺 だとすると、日本史で渡来人とされている人物も日本人の可能性があるわけですよね。たとえば有名な秦河勝とか。もしかしたら先に半島に行っていた日本人なのではないかと。

宮崎　途中で消えちゃっているからわからない。ただし縄文人と渡来してきた弥生人とはすぐに融合しています。

渡辺　わからないんですよね。聖徳太子を支えた秦河勝は日本史のなかから消えますが、秦氏一族はその後も勢力を伸ばして日本中に広がっていきました。秦の名字で残っている人もいますが、秦野やら高畑やらと少しずつ変化していきます。いずれにせよ秦氏を起源とする氏は多い。私の母方の姓にも畑（はた）がついていますが、秦氏から出ているのではないかと思っています。私の生まれ故郷は南伊豆ですが、下賀茂、上賀茂、一条、二条といった京の地名がそのままついた集落が多くあります。京都からやってきた人々が住みついたことがわかります。

それはともかく、やはり天智天皇は国を守るためあるいは領土回復のために唐・新羅と国家存亡をかけて戦ったのではなかったか。

歴史を教科書からだけではなく自分の頭で考えるとじつに楽しくなります。渡辺の先祖はご存知のとおり源頼光（みなもとのよりみつ）の四天王の一人渡辺綱（わたなべのつな）。私に河勝と綱のＤＮＡがかすかながらでも流れている可能性があると思うだけで嬉しくなります。歴史研究のエネルギーが湧いてきます。

自由な発想で文献に当たれば歴史研究に思わぬ発見があるかもしれない。史実とされて世に認知された事件はあくまでもいまの時点で最も確からしいだけなのです。

宮崎　それでいうとね、前章で述べた明智光秀に対する評価もそうです。光秀は主殺しではなく信長の専制的な伝統破壊を諫めたのです。拙著『明智光秀　五百年の孤独』（徳間書店）に詳しく書きました。

社会科学も理系の厳密さに近づける

宮崎　保護貿易主義に対する日本人の誤解を見てもわかるとおり、歴史学をはじめとして戦後の日本の学問は「主観」が入るのでだいたいが間違いです。その点、「客観的」でならなければならない物理学や数学といった自然科学、いわゆる理系の学問はまったく別で、公理や数式でなりたっているから答えが出る。しかし社会科学に答えなんかないでしょう。

答えがないから学閥ができて、学閥のボスが言っていることには逆らえないという「猿の社会」になる。国際政治学を見てください、丸山眞男をいまだに超えられない。だから北朝鮮から最も信頼される知識人の一人とされた坂本義和氏とかハト派でもタカ派でもない「カモ派」といわれるような鴨武彦（かもたけひこ）氏のような学者が大手を振っていた。鴨氏など早稲田の教授なのに東大の政治学のポストが空いたらスッと東大に行く。

歴史学にしても東大歴史編纂所が学界を牛耳っている。田中英道さんとか正しい歴史をいう人は完全に排斥されているではありませんか。

渡辺　社会科学でも自然科学の公理までとはいかなくても合理的な説明は可能です。たとえば、先に述べたように、南北戦争＝関税戦争、というように国の経済政策の根本をめぐる争いだったのだと見れば、現在に至るまでのアメリカという国の理解が合理的にできます。

もちろん、合理的か合理的でないかという判断も「主観的」ではありますが、合理性というものを追求していけば、自然科学に近づける余地が十分あるにもかかわらず、そこから逃げている。なぜかといえば、やはりカネと権力という磁場が働き、純粋な学問を妨げているからでしょう。

私はカネはともかく権力からは自由です（笑）。

しかし、カネと権力には興味のない人間、あるいは若い人たちが出てこないと日本の将来の社会科学というのは「危ないなぁ」と暗澹（あんたん）たる思いがします。

宮崎　次元の違う話だけど、東京大学がいま世界のランキングで三六位（二〇二〇年）とえらい落ちているでしょう。アメリカの一位は不動ですが、日本とは対照的にアジア系の大学、特に香港、シンガポールのランキングが上がっている。そうしたランキングの上下を決めているのもだいたい物理とか産業の発明関係でやはり理系です。

では経済学で日本人はどうかといったら、誰一人ノーベル経済賞をとってないことからも明らかです。もちろん、経済学も正解が出る学問じゃないから、そういう意味ではノーベル経済学賞などやめたほうがいい。文学賞もそうです。受賞した人が偉いように見えてミスリードする。

渡辺 反面、「文科系」を大事にしない日本の風潮も問題です。たとえば知的財産権を主張し守るのは文科系の仕事です。せっかくいい技術があってもこれを守れなければ技術者のモチベーションも上がらないし、会社も成長しない。そのためには英語もできなければいけないし、法律もわからなければいけないし、他国との折衝もできなければいけないし、法廷闘争もしなければならない。

宮崎 それでいうとアメリカの悪徳弁護士と闘うのも文科系の役割ですね。悪徳弁護士は日本でも多少はいるでしょうけど、アメリカは悪徳弁護士だらけですから（笑）。

渡辺 日本人にとって重要なのは、悪徳弁護士と片づけるのではなく、彼らを利用できるようにならなければならないということです。私がアメリカの弁護士事務所を使ったときの経験を言えば、時給が五〇〇ドルとか六〇〇ドルを超えるようなトップクラスの法律家たちは全然違います。やはりものすごく頭がよくて、何というか知的興奮を覚えるロジックを展開してきます。

宮崎　それはよくわかります。ところがワシントンは弁護士事務所といいながら、じつは大半がロビイスト。だから日本企業がアメリカで訴えられると、今度は正義の味方がやってきて両陣営からむしりとられる。結局マッチポンプなんですね。

渡辺　ですから、それを理解したうえで、どうやって法廷闘争するかを考える役割が文科系にはある。もちろん理系の人間でもそれができればいいのですが。

よく理系の著者が「文系はいらない」といったようなタイトルの本を出していますが、システムを作る文系の仕事を大事にしなければ、日本は没落の一途を辿ることになるでしょう。

東大の問題もそこにあるのではないか。テレビ番組で町工場の素晴らしい技術を紹介する番組を作るのは否定しませんが、実はその次にその技術を守るための重要な仕事（知的財産権保護）が待っています。この作業は、テレビの画像で紹介できるほど単純ではないので取り上げられることは少ないですが、重要な仕事です。町工場の素晴らしい技術は誰かが守ってあげなくてはならない。それをするのが文系の大事な仕事なのに、「文系はいらない」などと堂々と主張する自称知識人は現実世界の目の玉を抜くような激しい技術獲得（盗み出し）闘争の現場を知らないのです。

宮崎　それはひとえに国際化＝無国籍という風潮があるからです。いうまでもなく文系を成り立たせているのは国語です。グローバリズムは自国のナショナリズムはいらないと否定しますが、文系否定の究極のところは国語の廃止に行きつく。日本語がなかったら日本人は成り立たない。文系否定は最終的には日本人をやめましょうということになるんですよ。

日本語は豊穣すぎる

渡辺　国語の問題でいうと、私は約三〇年、英語の世界で暮らしているのでわかるのですが、日本語と英語を車の例で比較すると、フェラーリの日本語に対し英語はフォルクスワーゲンみたいなもので、全然違う。だから私は英語の翻訳は人に負けない自信はあるのですが、英語でのディベートや日本語の英訳は自信がない。なんで三〇年もいるのにできないのだと言われたら、フェラーリに慣れているやつがフォルクスワーゲンの運転がうまいわけないだろうと応えていますが（笑）。

日本語はある意味では素晴らし過ぎるというのか、英語にある概念で日本語に置き換えられないものってほとんどない。微妙にニュアンスの違うものはカタカナ語にしてうまく補いができるようになっている。それがたとえば韓国語は反対に英語のほうが語彙が多いから英語で考えたほうが思考が楽になるのです。

宮崎　中国語がそうですね、あれだけ漢字の字数が多いのに概念が少ないから、中国語にない言葉がたくさんある。「議会」「立法」「民主」「法治」などみな和製漢語でしょう。憲法にいたっては七〇％以上日本語（笑）。だいたい「共産主義」も和製漢語なのだから冗談みたいな話です。

渡辺　その点、私は英語で会話をするときにすぐに日本語で考えてしまうのです。そのあとで英語を探すから時間がかかったり、いい単語が見つからなかったりするんだけれど、自国語の概念が少ない国から来た人たちははなから英語で考えるから早い。そういう意味では日本語使いというのはハンディキャップを逆の意味では負っているという感覚があります。

宮崎　日本の文学はあまりにも豊穣過ぎますから。ただ外交レベルでいうと、たとえどんなにしゃべれても国と国の付き合いは自国語でしゃべるのが世界の常識です。

渡辺　本当に外国語ができる外交官はできないふりをします。

宮崎　そういう意味ではたとえ天皇陛下であらせられても公式の外交の場では日本語で話していただかなければなりません。

吉田茂はアメリカの史料には登場しない

宮崎　日本の政治家の問題ですが、まず吉田茂（よしだしげる）への評価はいまも過大に過ぎます。行動の軌跡を見ても、支離滅裂で礼儀知らず、本人自らが「首相の器ではない」と自覚していたに違いないという見解もあるくらいです（阿羅健一（あらけんいち）、杉原誠四郎（すぎはらせいしろう）『対談　吉田茂という反省』自由社）。

そもそも吉田茂はそんな大物ではなく、外交のバックボーンは国家観が欠如していて、かなり脆弱です。幸運で首相の座に就いたものの、日本が独立したときに改憲の発議さえしませんでした。あえて歴史的評価を加えるなら、これこそ犯罪的であるといっていいでしょう。

それなのに、なぜ吉田への過剰評価が生まれたのかといえば、日本人が汗を流した努力によって高度成長をなしとげた昭和三十年代後半、とりわけ東京五輪で、保守陣営がナショナリズムを経済の成功と牽強付会（けんきょうふかい）に結びつける方策を編み出し、そこに担ぎ上げる御（み）

興に吉田茂がちょうど良かったからでしょう。
吉田茂を褒めあげたのは国際政治学者の高坂正堯氏と政治学者の永井陽之助氏です。
吉田茂の政治「業績」を前向きに評価した高坂氏は、自民党のブレーンとして、あるいは現実すべてを肯定するところからリアリストなどと呼ばれ、論壇の寵児となりました。
一方、吉田の軽武装、高度成長を「吉田ドクトリン」と祀り上げたのが永井陽之助氏です。

渡辺　私には吉田茂を論じるほどの知見がないのでコメントは差し控えます。ただ一つ言えることは、私の読んできたアメリカの史料に吉田茂の名前が出てきた記憶がない、ということです（笑）。

宮崎　それは辛辣ですね（笑）。つまりアメリカからすれば、論ずるべき対象じゃないということなのでしょうね。日本が過大評価をしているだけのことで。実際何をしたか考えると何の功績もない。

渡辺　私の翻訳したフーバーの『裏切られた自由』にもなかったし、『ダレス兄弟』（草思社）にも出ていません。

宮崎　ただ実際問題、吉田政治の悪弊はいまも尾を引いて日本外交を束縛しているから問題です。

中曽根康弘政権のおりに、雅子皇后の父であり外務省条約局長だった小和田恒氏は、「サンフランシスコ講和条約の際に日本は東京裁判を受け入れたのだから『ハンディキャップ国家』だ」などと国会で答弁しました。

客観的に吉田時代を振り返ったのが『さらば吉田茂』を書いた片岡鉄哉氏です。

片岡はこう書き残した。

「(吉田ドクトリンとかを云々しているうちに) 日本は萎縮した。矮小化した。卑俗化した。気品を失った。大きなこと。美しいこと。善いこと。勇敢なこと。ノーブルなこと。これらのすべてを日本は拒否するようになったのである」(文藝春秋)。

実際このとおりでしょう。

北方領土はロシアから買い取れ

渡辺 日本の領土問題にしても、世界史をさかのぼると第一次世界大戦からの問題なのですね。第二次大戦が起こったのは、あまりにも恣意的な国境の引き方に対してドイツ国民が耐えられなくなって、領土を取り戻す夢をヒトラーに託したといってよいのですが、「ナチスドイツを擁護するのか」とたちまち反撃され議論すらまともにできない。

ただ、西欧諸国の国境の線引きというのは日本人にとっては理解不能のところがありますよね。ヨーロッパの文化と地形を、歴史を含めて知らなければ、なんであういう国ができあがったのかはわからないし、宮崎さんは詳しいと思いますが、しかし本当はそういった歴史のなかで北方領土問題を考えなければいけないのだと思います。

宮崎　ヨーロッパ諸国の恣意的な国境画定がいまにもたらす問題は、たとえばロヒンギャ難民の問題が一番わかりやすいです。ロヒンギャの対応を間違えたといってスー・チーが悪いといっているけれども、スー・チーは悪くない、ただ無能なだけです（笑）。元凶はイギリスじゃないですか。勝手にバングラディッシュ（当時は東パキスタン）とミャンマー（当時はビルマ）の間に国境線を引いてこっちに移れと強引なことをした。イスラムのロヒンギャを意図的に仏教国に植民させるわけですから人為的な民族対立を演出して英国の植民地政策を円滑化したわけでしょう。

だから民族隔離もしくは植民地政策を円滑化するために、その地における民族対立を煽る。イギリスは悪辣（あくらつ）ですから、あちこちでそれをやっていた。そういう帝国主義時代の正義を旧植民地にいまだに振りかざし、当事国で彼らの価値観に反するようなことをすると、植民地経営をしていた宗主国が必ずいちゃもんをつける、という図式になっています。逆にいえば、ウクライナ問題でアメリカがあれだけ介入しているにもかかわらず、ロシアがはねつけているのは逆にプーチンがしっかりしていたからだと思います。

一方、日本の北方領土問題に対する言い分は、旧ソビエトの非道を批判する倫理的観点からのもの言いであり、本来の地政学ではない。本来、日本の領土ということであれば、全千島、南樺太、北方四島は北海道の一部だから当たり前の話なのです。ところが、日本の論理はいまでは四島から二島返還とだんだん、小さくなっている。当然、最初は全千島、南樺太返還だったはずです。というのも、あそこはユダヤの地域と同じで、国際的には未確定になっているからです。だけど、いつの間にかロシアが線を引いてロシアの色分けにしちゃってるのは、既成事実がすでに戦後の秩序になっている証左です。戦後秩序は壊させないというのが大国の論理でしょう。実際、戦後決めた領土に関しては国境線を変えることは戦後政治のなかではほとんどない。

渡辺 そうです。だから、先ほど北方領土は金銭解決もありではないかと申し上げたのです。道理のない領土喪失の例は世界中どこにもあります。たとえばいまのポーランドの西半分は旧ドイツ領です。東半分はソビエトが占領していたので、それに見合う土地をドイツから切り離してポーランド領にすることで決着させている。これを強引に推し進めたのがチャーチルで、明らかな大西洋憲章違反。

北方領土を、道理を説いてとり返すということは、世界中にある「領土問題の不条理」というパンドラの箱の蓋（ふた）を開けることなのです。だから、ロシアには「あの島は日本から高い金を出させて売ったのだ。文句あるか」と言わせてあげる逃げ道を用意してあげなくてはなりません。

宮崎　日本は現実的には軍事力を行使して取り戻す以外、奪還なんてできない。しかし、そうは言えないから、倫理、道徳、ヒューマニズムで攻めて、それでロシアが動かなかったから今度は経済開発でどうだと。

渡辺　北方領土の問題というのは、明治政府ができた時点から始まっています。ウィリアム・スワード国務長官が南北戦争が終わったあと、政界を引退し、世界周遊をするのですが、途中日本に寄った。そのときに外務卿澤宣嘉（さわのぶよし）と会見しています。そのさいに、澤はなんとか樺太問題をロシアと調整したい、ついては仲介の労をとっていただけないかとスワードに相談するのですが、金で買う方法もあるよと助言された。ですから、軍事力で取り返すことができないならば、金で買うということは世界の論理からいえばおかしなことじゃない。

宮崎　確かにおっしゃるようにアメリカはよく買収してますね。トランプが急にグリーンランドを買うと言ったら、ヨーロッパはじつに浅薄な反応をしました。からかわれている、我々は侮辱されたと言っているのだけれど（笑）。でもグリーンランド買収は、すでにトルーマンのときに一回オファーしていますよ。

トランプが買いたい理由は、地下に眠る資源と、もう一つは安全保障でしょうね。中国が北極ルートとして、狙っているから。ヨーロッパ人も戦後リベラリズムに侵されてリアリストの視点が消えたのかもしれません。

渡辺　話を樺太に戻しますと、スワードのアドバイスに対し澤は案の定、「もともと日本のものだから買うという選択はありえない」と反発した。いまとまったく同じロジックです。

宮崎　だから日本人の基本にあるのは、やっぱり倫理なんですよ。

渡辺　もちろん榎本武揚（えのもとたけあき）がサンクトペテルブルクに行って結んだ千島・樺太交換条約を法的根拠に、日本領土だから買収はありえないというのは、一つのロジックなんですが。しかし世界の歴史を見ればそれではうまくいかない。パンドラの箱を開けてはいけないのです。

宮崎　日本は論理のうえに、倫理を上位においているから、その世界的常識が通じない。外交というのは冷徹に国益の追求ですから情、倫理という要素は二次的なことになるのです。

安倍外交の真偽

渡辺　ロシアとの北方領土交渉も暗礁に乗り上げていますが、トランプの外交に対する安倍晋三総理のスタンスがいまいち、よくわかりません。トランプは個人的には安倍さんを持ち上げているようですが。対中外交と対トランプ外交のバランスをどういうふうに考えているのか危うさを感じます。

宮崎　二〇一九年の六月に安倍首相はイランを訪問し、ハサン・ロウハニ大統領や最高指導者のアリ・ハメネイ師と会談し、ちょうどその最中に日本籍のタンカーがＵＡＥ沖で攻撃を受けたため、失敗だったという評価が大半でしたが、あれはアメリカの密使として飛んだフシがあると思います。西側の指導者でハメネイ師と会談できた人は少ないでしょう。

また、同年十二月にはロウハニ大統領が訪日をしました。おそらく、この日本外交は日本の身勝手な行動ではなくて、アメリカが何らかの目的で安倍総理にとらせているのではないでしょうか。つまり別ルートの確保ですよね。戦争をやるときだって大国は常に逃げ道を見つけてからやるじゃない。

対中国に関しても、やはり似ているところがあるでしょう。仮に日本を巻き込んで全面的に西側が中国と対峙した場合、もちろん中国にも退路はなくなりますが、アメリカとしては全面対決をする場合のデメリットと考えると、日本を窓口として開けておいたほうがいいと。普通に考えれば、米中が激しく対立しているときに、「一帯一路に協力する」と安倍総理が発言したり、香港弾圧が世界で批判を受けているさなかに習近平という独裁者を国賓で招こうとするなど、アメリカが許すはずはない。それがアメリカからのこれといった批判がないのですから。

渡辺 宮崎さんの推測しているようなかたちで安倍さんがファンクションしているのであればいいのですが。それこそアメリカ外交における日本の価値というのはそこしかないですし。

先ほど原爆の話もしましたが、復讐権を持った日本に独自外交を許すことになる核保有をさせるはずがないですから。やはり従属的な立場を表に出すか隠しておくかは別にして、アメリカが理解する行動のなかで安倍さんが動いているのであれば、十分に安倍さんのことは評価できるのですが。

宮崎 安倍さんが日本の外交の立場を強くしたことだけは確かです。なぜかというと、それまでは日本に「フォーリン・ポリシー」というのはなくて、「フォローイング・ポリシー」、つまりアメリカにとって日本はATMでしかありませんでした。その点、一つの転換点をやっぱり安倍外交はやっていると思います。

渡辺　ということは評価ですね。

宮崎　そこは評価する。日本の保守もいけないのはかなり単純、短絡的なところがある。「靖国行かないのはけしからん」、そのとおりですが、それだけで安倍外交を総括できない。

もっとも中曽根氏みたいに、本当に打算でしかなく靖国に行かなかった総理もいますが。「胡耀邦(こようほう)は私が靖国に行ったら失脚する可能性があるから助けるんだ」がその言い分でしたが、中曽根が参拝しなくても胡耀邦は失脚しちゃった（笑）。

国家に恩返しする政治家の再来

渡辺　ところで、トランプを論じるうえでポイントとなるのは、「職業としての政治家」ではないということです。「国家への恩返しをするんだ」という心意気が彼にはある。アメリカでも非常に特異なタイプで、フーバー以来です。

トランプは、ロス・ペローに非常に敬意を示しています。功成り名遂げた人間が、残りの人生を国のために尽くす。トランプの給料は年間で四〇万ドルプラス各種手当と決まっていますが、それも自分がこれと思う団体に全額寄付しています。しかもトランプは自分のビジネスも犠牲にしている。選挙に出て以来ホテル業の売上は一七％から二〇％のマイナスなのです。

日本の評論家のほとんどが、トランプ政治を見るうえで、彼が給料をすべて寄付していることについて触れていないし、なかにはトランプのビジネスは二〇％も落ちている、だから彼の人気は落ちているなどと見当違いの発言をするものさえいます。

トランプは、自分が大統領になれば多くのリベラル派を敵に回すことを覚悟していました。それがホテル業にマイナスになることはわかりきったことです。彼にとってはそんなことはどうでもよいのです。民主党政治でアメリカでなくなってしまった。残りの人生を母国に捧(ささ)げて、再び偉大な国にしたい。ただそれだけです。

宮崎　二〇二〇年の一月にもトランプタワーへ行きましたが、目玉のテナントだったティファニーは出ていったまま。二階の日本食レストランはグリル・トランプとバー・トランプに変わっていました（笑）。

渡辺　トランプが二〇一一年までは民主党と共和党の両党に政治献金をしていたのを、ヒラリーのネオコン的な干渉主義外交を見て共和党一本に変更する。

宮崎　ニクソンのスピーチライターをつとめ、レーガン革命では保守派の旗手として大活躍をしたパット・ブキャナンに似たところがトランプにありますね。政治的束縛がなくいつもまっすぐな正論を吐く。歴史伝統を重んじ、グローバリズムに反対し、オバマ政権批判でも急先鋒だった。ブキャナンは完全な孤立主義で、海外の米軍基地を全部引き上げろと。日本の防衛は日本に任せろといい、日本の核武装にも賛成しています。

渡辺　ブキャナンは真っ向勝負の議論を吐くので好感をもっています。しかし、トランプは、「世界の警察官」をやめるわけにはいかないけれども、それをわかったうえでどれだけ舵を切れるかということを考えているのでしょう。

宮崎　トランプがアフガン撤兵、シリア撤兵、クルド族支援をやめようとしたらペンタゴンが総立ちで反対して、そしてジェームズ・マティスをはじめホワイトハウスにいた将軍たちはみなクビなった。いまトランプ政権に有能な軍人出身者が一人もいない。それはそれで問題です。

渡辺　いまの軍人を含めたディープ・ステートがネオコン思想に染まっているので、それからの脱却を鮮明にしてくれる右腕をトランプは探し続けているのではないかと私は見ています。

宮崎　そういう面はあるのでしょうね。メディアや民主党はなんとか失脚させようと画策し、弾劾裁判にまでもっていきましたが、結局弾劾はならず、上院は「無罪」を評決し、大失敗に終わりました。

渡辺　トランプの頭の良さというのは、ユダヤを決して敵にしてないことですよね。これは非常に重要で、ユダヤの旧勢力と新勢力との戦いがあるとすれば、少なくとも新勢力的な人たちがトランプの後ろ盾になっているので下手に動けない。だからトランプもユダヤを敵にしない。これは一つの僥倖（ぎょうこう）でしょうけど、娘のイヴァンカがユダヤ教に改宗するとは思っていなかったでしょう。

宮崎　トランプは不動産王と呼ばれたが、アメリカの不動産業界だって販売代理店などユダヤが占めているようなものですから。

恩返しの政治ですか、日本で言えば滅私奉公です。渡辺さんは作品でそれを行っていますね。

渡辺　滅私はともかく、少しでも奉公できたらと思い書いています。いまはたまたま日本を離れて暮らしていますが、その分日本が美しく見えます。伊豆の西海岸から眺める富士山のようです。

日本にとって肝心なのは、そのトランプが安倍さんを個人的に能力のある人間だと思っているかどうか、そして同時に人間としての魅力を感じているかどうかではないでしょうか。

私はトランプはめちゃくちゃ頭がいいと思うし、胆力もすごい。政権発足以来、彼に仕えなければならないはずのＦＢＩ、ＣＩＡ、国務省の親ヒラリー官僚に何度も背中から切られました。さらには議会民主党や残存している共和党内旧主流派のネオコンからも矢が飛んでくる。そうしたなかで経済も外交も見事に成果を上げています。ただものではありませんよ。

黒人やヒスパニックの失業率も史上最低で、彼らでさえトランプが人種差別主義者でないことはとうに気づいています。民主党の基盤であった少数民族系がなだれをうつようにトランプ支持に変わっています。だから民主党の危機感は半端ではありません。

宮崎さんはそのトランプがまだ若くて「成り上がりの不動産王だ」と軽く見られたときに会われたことがあるからすごい。

宮崎　四〇歳ぐらいのときですかね。これは余談ですが、じつは私とトランプは一九四六年生まれで同い年なんです。そしてブッシュ・ジュニアも一九四六年生まれで、ビル・クリントンもそう。ヒラリーが一九四七年生まれ。ああ、これは本書の冒頭に使ったほうがよかったかもしれない。つまり「戦後史が始まったときに奇しくも三人の大統領が同じ年に生まれた」と（笑い）。

ともあれ戦後七五年、世界史は大きな曲がり角に来たという意味でも、この四分の三世紀を総括したことは有意義でした。

あとがき

対談本は書店に溢(あふ)れているだけに読者の目も肥えているはずだ。対談企画が有意義なものになるには、語る二人の視点が同じ方向にある一方で、そのアングルはいささか異なっていることである。それがあるからこそ、見つめる対象(事象)が立体化する。

対談本がつまらなくなる場合、その理由には二つある。一つは、二人の考えがまったく違う場合である。対談者が互いの主張をぶつけ合うことに終始し、その読後感は「世のなかにはいろいろな考えがあることがわかった」程度のものになる。二つ目は、対談者が師弟関係にある場合である。「お追従」になりがちとなり、その結果、権威者の「意見開陳」になる。緊張感がないから、発言者自身がはっとする場面がない。そのような対談本を読むのであれば、本人の著作に直接あたったほうが良い。

宮崎正弘先生との対談は二回目となる。前回は語り合う対象を幕末からあの大戦の始まりまでとした。今回は考察の対象を戦後の時代にシフトさせた。そうは言っても、あの戦争で歴史が断絶しているわけではないから、戦後の時代を語りながら天智天皇やら秦河勝まで触れることになった。また、戦後の世界金融システムを取り扱う場面では、金本位制下の「古き良き時代」をも議論した。対象の時間的空間的広がりで、読者を困惑させてしまう恐れもあるが、それがむしろ読者の知的好奇心の刺激になれば、この対談の意味はあったと思う。

読了された方は気づかれたと思うが、今回の対談では経済（学）史的な視点をも取り入れながら、戦後世界を語ることを心掛けた。それは、私たち二人にはケインズ経済学に対するどうしても払拭（ふっしょく）できない不信感があるからである。不信感というよりも困惑と言ったほうが正確かもしれない。この感情の根源は、「貨幣とは何か」という疑問である。ケインズ経済学は、貨幣の流通量を「人間の英知」で最適にできる（可能性がある）という幻想がベースになっている。人間が貨幣量を操作できるという立場に立つ経済政策を実施すれば、新しく生まれる貨幣の「近場にいる」集団が利益を得、それが弊害となって経済成長を生まない。

ケインズ経済学的政策の限界は、フランクリン・デラノ・ルーズベルト大統領（ＦＤＲ）の進めたニューディール政策の失敗で歴史的にすでに証明されている。この政策は、国家繁栄のエンジンとなるインフラストラクチャーの改善には使われず、もっぱらＦＤＲの所属する民主党系組織の肥大に費消された。巨額な政府予算を扱う実務官僚は大きな権力を得た。その結果FDR政権では、大きな政府を好む共産主義者が跋扈したのである。

彼らはアメリカ政府でさえもコントロールできる巨大組織をも作り上げた。それが国際連合でありまたIMFであるが、どちらもソビエトスパイであったアメリカの実務官僚が産婆役だった。前者はアルジャー・ヒス（国務省）、後者がハリー・デキスター・ホワイト（財務省）によって生まれている。

今回の対談は二日間にわたった。冒頭に書いたように、二人の、事象を見る方向は一致してはいるが角度がいささか異なる。それ故に意見の違いも生まれ、議論が緊張する場面もあった。その空気を文章にして読者に伝えることは難しい。それでも、企画立案者である佐藤春生さんの巧みな編集で、十分に読者に伝わったのではなかろうか。

本対談が読者の世界を見る目をいささかでもシャープにするプラスの効果があれば嬉しい。

二〇二〇年春

渡辺惣樹

■ ね ■

■ は ■

■ ひ ■

■ ふ ■

■ へ ■

■ ほ ■

■ ま ■

■せ■

■そ■

■た■

■ち■

■つ■

■て■

■と■

■な■

■に■

■ぬ■

■く■

■け■

■こ■

■さ■

■し■

■す■

【索 引】

■あ■

■い■

■う■

■え■

■お■

■か■

■き■

著者略歴

宮崎正弘（みやざき まさひろ）

評論家。1946年、金沢生まれ、早稲田大学中退。日本学生新聞編集長などを経て『もうひとつの資源戦争』（講談社、１９８２）で論壇へ。中国ウォッチャーとして多くの著作がある。『中華帝国の野望』『中国の悲劇』『人民元大決壊』など５冊が中国語訳された。

著書に『新型肺炎、経済崩壊、軍事クーデターでさよなら習近平』『余命半年の中国・韓国経済』『台湾烈烈世界一の親日国家がヤバイ』『激動の日本近現代史 1852-1941』（いずれもビジネス社）、『吉田松陰は甦る』（並木書房）『西郷隆盛』（海竜社）『明智光秀　五百年の孤独』（徳間書店）など歴史物も多い。

渡辺惣樹（わたなべそうき）

日本近現代史研究家。北米在住。1954年静岡県下田市出身。77年東京大学経済学部卒業。30年にわたり米国・カナダでビジネスに従事。米英史料を広く渉猟し、日本開国以来の日米関係を新たな視点でとらえた著作が高く評価される。

著書に『日本開国』『日米衝突の根源 1858-1908』『日米衝突の萌芽 1898-1918』(第22回山本七平賞奨励賞受賞)『朝鮮開国と日清戦争』『アメリカの対日政策を読み解く』（以上草思社）、『激動の日本近現代史 1852-1941』（共著・ビジネス社）など。訳書にフーバー『裏切られた自由（上・下）』、マックファーレン『日本 1852』、マックウィリアムス『日米開戦の人種的側面アメリカの反省 1944』など。

戦後支配の正体 1945-2020

2020年4月15日　第1版発行

著　者　宮崎正弘　渡辺惣樹

発行人　唐津 隆

発行所　株式会社ビジネス社

〒162-0805　東京都新宿区矢来町114番地　神楽坂高橋ビル５階

電話　03(5227)1602（代表）

FAX　03(5227)1603

http://www.business-sha.co.jp

印刷・製本　株式会社光邦

カバーデザイン　上田晃郷

本文組版　メディアネット

営業担当　山口健志

編集担当　佐藤春生

ISBN978-4-8284-2173-5